JN097455

銀河連合から日本へ!!

Light from The Galactic Union to Japan

全てを元にもどすヒーリングウェーブ

The Miracle of Healing Wave Return to Your Original Self

吉田一敏

ゲスト Infiny

【プルシャ】

5,000 年以上前から語られてきた、宇宙ができる前からの、原初の光。プル＝最初 シャ＝光。プルシャは、見ることによって、プラクリティー（大いなるすべて＝ All that is）を創り出した。宇宙を、太古に創ったというのは、時空の絡んだ概念で、実際は今、毎瞬間に創り直している。プルシャ以外に何もない、という主張を受け入れれば、あなた自身は、プルシャ以外の何物でもないことになる。

前奏曲

あなたは**誰**？ なぜ**生まれて来た**の？ **どこへ**行くの？
始めに言(ことば)**ありき**。 ヨハネ福音書。 **ヨ**（４）**ハ**（８）**ネ**（音）＝４８**音**。 って**何の音**？
始めに**何があった**の？
言（ことば）とは「**音**」。「音」とは**振動**。 振動は**生命**。 **生命はすべて音**・・・

あなたが創った。 **あなたはプルシャ**。 プルシャ＝**原初の光**。
それが**生命**。 **音**になった。 音は**様々な音を創った**。
地、水、火、風、空は**振動**。 **音でできている**。

物が音を発する？ いや、 **音が物を創った**のだ。 **音が無いと何もできない**。
花の音がないと花は無い。 一〇八八ヘルツで亀の甲羅ができた。

五角形の音が、 人体のヒューマノイド（五角形）を。 **リラ（琴座）**でできた。

四三二ヘルツがシュリヤントラ（曼荼羅）を描き出す。
神聖幾何学は、音でできている。
宇宙には音ばかり。初期設定の音がある。

九二歳。椎間板がつぶれた！ 脊椎管狭窄症。痛くてMRIも撮れない。背骨の初期設定の音。それを当てた。
一か月後。痛みが消えた。椎間板は元の大きさと形に・・・

生まれつき腎臓が動かない赤ちゃん。腎臓の初期設定の音を当てた。今は普通に動いている。

音で・・・顔が美しくなる。しぐさが愛らしくなる。
「魂のブループリント」。それに共振共鳴するからだ。
【ヒーリングウェーブ】は。
「祈り」の宇宙化。歩くイヤシロチ、歩くゼロポイントになる。あなたが！だ・・・

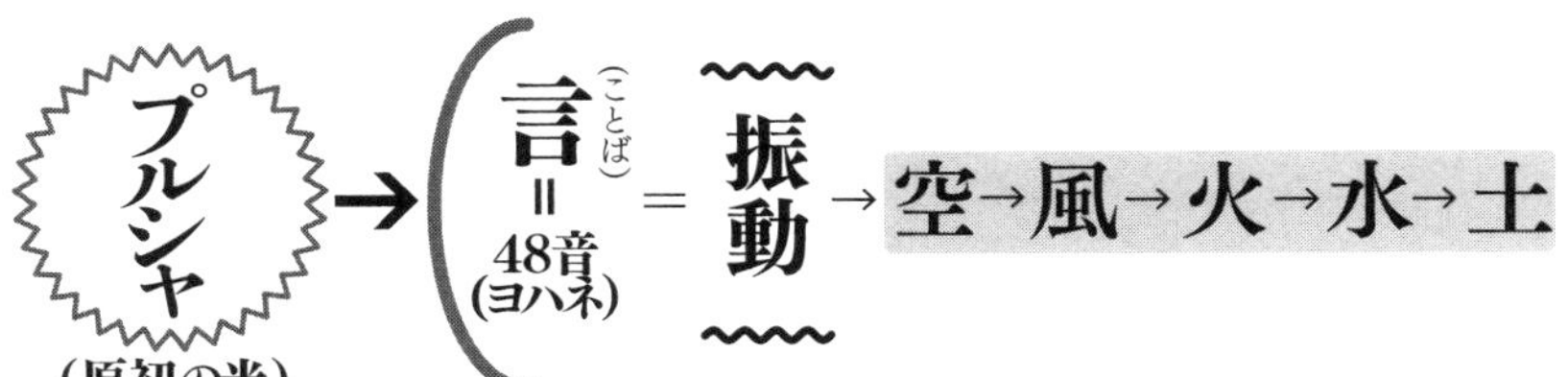

すべては音＝生命である

完全自由。無罪放免。元にもどる。お帰りなさい！ただいま！

無限規模に元にもどる。プルシャ（原初の光）の壮大なドラマ。

あなたは、プルシャ！すべて「元にもどす」時代に入った。プルシャは、時空を超える。過去を変える。

地球の反対側も平和に。少女時代のトラウマをクリーニングする。パラレルワールド。一瞬で変わる、周波数一つで！

あなたにはできる。プルシャだから・・・

ありのままで完璧！

生まれたとたん、そうだった。あなたの話だ。

何一つ「義務」が無い。ミッションを果たす必要も無い。生まれて来るのがミッション。すでに済んでいる。

ポジティブ。ネガティブ。そういう言葉を作り出す前は、完璧だった。進化も必要なかった。そして今もない。なぜなら宇宙は完璧だからだ。

やりたいことは、ちゅうちょ無くやれるように仕組まれていた。そして、今も、だ。

社会や三次元の洗脳。駆り立てられている。もがいている。そのままじゃだめだ！

と聞いて。
エゴの特徴はそれ。「**駆り立てられて、もがく**」・・・
浄化、気づき、成長が必要か？ **そのままではダメ**！なのか？・・・みな必要ない。
「**ありのままで完璧**」が分かるまで。実は**幸せは無い**。**ありのままで完璧**って何？

特別な状態じゃない。**今、目の前にある状態**。
感情と想念を含めて。それは**完璧**。
あなたの選択はそれ。**プルシャ**である**あなた**。**全知全能であるプルシャ**。その**今**
一瞬の選択が、**これ**。
目の前の**感情想念、体験**以外に**何もない**。
何も間違っていない。それを「**受容**」という。
「**受容**」のみが**ゼロポイントにもどる**道。
「**抵抗**」＝いやだ！だと、**存続する**。その状況が。**いつまでも、ずっと**・・・
今の感情、想念、状況、出来事以外に。**何一つ宇宙は欲していない**。
絶対の出来事！**全宇宙がそれになっている**・・・

「ありのままで完璧」をつかんだ人。その人は、**すべてを得ている。**

それは【ヒーリングウェーブ】の一つの**仕事。一年**も使っているとどうなるか？

みな、**皇室のような品の良さ。おっとり感**が出てくる。

「悩みが、何も無い！」などという。**大丈夫か**？（笑）何でだろう？

「魂のブループリント」に**共振共鳴。**これがキーワードだ・・・

吉田統合研究所
吉田 一敏

銀河連合から日本へ

すべてを元にもどすヒーリングウェーブ

目次

銀河連合から日本へ　すべてを元にもどすヒーリングウェーブ　もくじ

4　ありのままで生きるとは？

銀河連合からのメッセージ 2

変える、直すではなく「すべてを元にもどす」

1　治す、変えるじゃない！「元にもどす」！

早い人だと、ほんの**十数分**で。**音を当てる**だけで。**体や心の不調**が元にもどってしまう。できるとしても**百年後**。そう予想されたテクノロジー。日本で開発され、**二〇一八年暮れ**から本格的な運用がスタートした。

元々イギリスで開発された**音響医療**用の音源。**簡単、シンプル！**それに誰もが使える！**専門的な知識がなくても。軽くて持ち運び可能・・・**

物質的な科学中心の現代で、この装置はまったく**違う**。「**肉体に重なっている、目に見えないエネルギー体**」。それに働きかけて「**波動を元にもどす**」。

システムの**核心部分**は、目的ごとに特定された「**音**」＝「**周波数**」。その「**音**」の**凄さ！**

「**音**」でいったい**何が起きるのか**？

音響医学の父ピーター・ガイ・マナーズ博士

【ヒーリングウェーブ】の原型。この音響技術を発案したのは？**イギリスのピーター・**

ガイ・マナーズ博士という**医師**です。私見ですが、この方は、**人類の医学史上、最大の医学者の一人**でしょう。

マナーズ博士の経歴。**国連のダグ・ハマーショルド最高賞受賞。人道主義者**に贈られる賞です。世界保健機関**ＷＨＯの中心メンバー**。**「国際代替医療大学」の教授**でした。業績は母国**イギリス**と**ドイツ**で著名。**サー(貴族)の称号**も受けています。格式の高い**クラシックピアニスト**でも、サーの称号を持っているのは**ごく稀**です。それほど**高く評価された医学者**でした。

オックスフォード大学の医学部に高成績で入学。ところが、入って2年目。急に大学を**やめると言い出します**。**原因もわからずに薬を投与**する。**患部を切り取ったりする**。そんな医療は**医療とは言えない**、と考えたのです。**一九三〇年代に！**です。彼は**一番の学生**だったので、学長たちが、そのまま退学させるのは勿

ピーター・ガイ・マナーズ博士

体無いと考え、特別に卒業試験を出しました。その**テストに通った**ので、オックスフォード大学を、何と3年で卒業したのです！

その後、フランスの**ソルボンヌ大学**。ドイツの**ハイデルベルグ大学**に行きました。ドイツの大学では「**音だけで全ての病気が治るはずだ！**」と主張。ハイデルベルグ大学の学長は傑物でした。彼を信じて、**ナチスの残党**を呼び出しました。

当時のドイツは、ナチスが滅びた直後。ナチス・ドイツの時代、１９４０年代。ナチスはユダヤ人を人体実験して、ある**特殊な研究**をしていました。その研究は、人体の**一個一個の臓器が、全部特有の「音」を持っている**ということ。これを悪用する。**脳震盪**や**心臓発作**が起こせる。

学長は、当時の研究者たちを集めました。ナチスの研究データを、すべてこの若い医学者に与えるように！　と。彼らは、罪滅ぼしからか、**実験データをすべて提供。マナーズ博士**は、**九十三歳**で亡くなるまで歩みを止めなかった。そして総計**数千**という「**固有の音**」を発見したのです。

宇宙は音でできている？

「音」を聴くとは？　どんな現象でしょう？　ある周波数で**空気が振動**し、その振動を耳の器官が受け取り、**感覚**として脳が再現する。

宇宙の全ての存在。例外なく、**固有の振動数で震えている**。**周波数を持っている**。なので、**宇宙の全ては「音」**であると言うこともできます。

始めに宇宙ができた時。宇宙自体が、無の世界から有の世界に生まれました。**何もない世界から有が生まれる**ということは**「振動が生まれた」**ということ。止まっているのを止（や）めたのです。

振動というのは、**生命**のこと。言い換えると、宇宙に存在する全ては、**振動して躍動する「生き物」**なのです。

振動しているもの。本来、全てが**「音」として聞こえる**はずです。が、人間の耳は**2万ヘルツ**までしか聞こえません。**ヒーター**の音は聞こえても、**ホワイトボード**の音は聞こえません。**お茶をすする**音は聞こえるけれど、**お茶そのもの**の音は聞こえません。

しかし、本来、お茶自体も音を出しています。**振動している**から・・・

イルカは**十五万ヘルツ**まで聞こえます。イルカの耳の穴は、爪楊枝で穴を開けたような、小さな穴ですが、イルカが聴くと、**世界中が音の洪水**でしょう。

臓器には固有の音が？

マナーズ博士は、**ナチス・ドイツ**のデータから、**各臓器の音**を調べました。

例えば、**肝臓**という臓器。飲みすぎると肝臓の調子が悪くなりますね？　これが、**ウコン**を食べると良くなります。これはなぜか？　**肝臓が持っている正常な時の音、振動の音が、ウコンの持っている音と同じ**だからです。

共振・共鳴の作用で、ウコンが震えると、肝臓も**同じ音になってしまう**のです。周波数が元に戻ってしまうので、**良くなる**わけです。

【吉田統合研究所】では、**アーユルヴェーダ市民大学**というものを主催してきました。アーユルヴェーダでは、**ハーブ**を使って**臓器の不調**を治します。著名ハーブは約**二千種**類あるのですが、**どのハーブも臓器のどこかに関係している**。アーユルヴェーダでは、ハーブを使った**共振・共鳴の原理**で、臓器を治しているのです。**自然界と臓器は、共振共鳴**する。素晴らしいメカニズムですね！

男性の**前立腺**が弱ったときは、**ソーパルメット**（ノコギリヤシ）を食べます。すると、前立腺が復活。**前立腺が正常だった時の音**を、ソーパルメットが持っているから・・・

このように、全てのものは（**共振・共鳴**）によって響き合っている。究極的に見れば、肝臓もなければウコンもありません。**肝臓の音と、ウコンの音があるだけ。**音が音に共鳴するか？　否か？　だけ・・・

「音」は「形」の元？

この振動が「**音**」として聞こえる場合、**言霊**（ことだま）として出てくる場合。**神聖幾何学**という形で出る場合もあります。数値でも出ます。これは**数霊**（かずたま）といいます。

「**神聖幾何学**」とはどういうものか？　**麻の葉文様、プラトン立体、フラワーオブライフ**の様なもの。ある特定の音を響かせると、勝手にこういう形ができるのです。砂を使って実験するとすぐに分かります（**クラドニ図形**）。

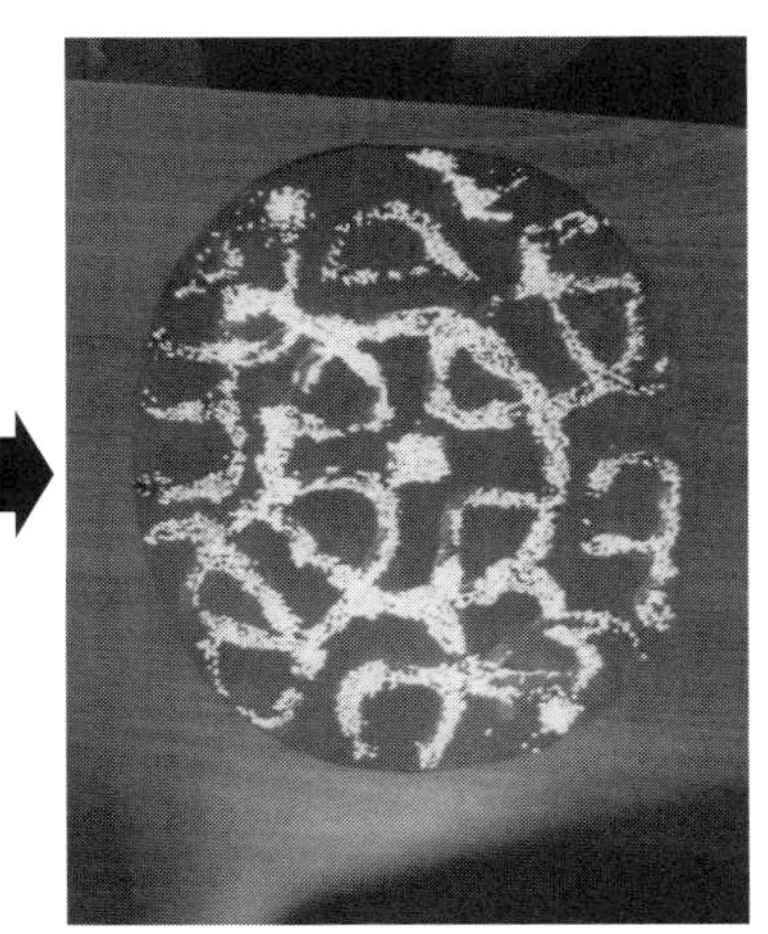

クラドニ図形

フライパンに砂を撒いて、特定の音を響かせて**共振**させる。砂が勝手に移動して、こういう形になります。**曼陀羅（まんだら）、ヤントラ**はじめ、皆さんが知っている、**有名な幾何学模様**の形は、この様に、**音で作られたもの**なのです。

「**音**」。専門用語では？**量子振動**。全てのものは量子振動なのです。量子振動という見方をすると、**数霊（かずたま）**も、**形霊（かただま）**も、**色霊（いろだま）**もみな同じ。また**数値**にも変えられます。地球人は、数や形や色を、違うように見ていましたね？でも、本当は**同じもの**の別バージョン・・・

全てを元にもどす！

こういう音的、波動的な見方をすると、どうなるか？**全てのことが紐解ける可能性**があります。例えば、**老化や病気**などの不調。「**すべては音である**」という視点で考える。すると「**元にもどす**」ことができる**原理**が見えてきます！

誰でも歳をとります。むかし綺麗な、素敵な美人だった人。でも、顔に**ホウレイ線**とか**シワ**が！他の星でも歳をとるのでしょうか？**歳をとるごとに若くなって行く**星もある・・・ベストセラーの、ある本の情報。地球人だけが、どんどん歳をとっていって、しかも約百年で死んでしまう。本当に短い。他の星では、**平均寿命が数千数万歳**という説もあるのに。本当でしょうか？

どうして**老化**が起きるのか？ 歳をとったからではありません。例えば、**顔の周波数**。それが**歪んだ**から・・・

生まれたばかりの、顔ができた時の音に比べ、今の音は**かなり歪んでいます**ね？（すいません）それで顔が**垂れてしまう**わけ・・・

そこで【ヒーリングウェーブ】で、顔の初期設定の音を。顔の**エーテル体**に「**元々の顔を作りなさい**」と。振動が与えられて、その顔になるというわけです。**本当だったら、いいと思いませんか**？ お嬢さん。

エーテル体を修正する音！

音の振動が、エーテル体に対してどう働くのか？

肉体も実は**振動**でできています。**肉体としての顔を作る前**に、目に見えないエネルギー体である、**エーテル体**というものがあります。**エーテル体も振動**しています。

これを**霊体**という人もいますが、ネーミングの違いにすぎません。

エーテル体って何でしょう？ 例えば、**トカゲ**は**尻尾**を切っても、同じものがまた生えてきますね。「尻尾」というのは、体の一部につけた名前。実際には、**骨髄**があってリンパがあって**筋肉**、**脂肪**があるような、**凄く複雑な肉体組織**。

簡単な組織だったらまだ分かります。が、それが**もう一回生えて来る！**というのは、**摩訶不思議**（まかふしぎ）ではありませんか？

こんな**複雑なものが生える理由**は？　実は、尻尾は**切れていなかった**。目に見えないけれど、同じ形で、**エーテル体の尻尾**が残っていたから。**ロシア**で開発した**キルリアン写真**で見えたりしますね？

目には見えない**鋳型**。**マトリックス**が残っている。これが「**音**」でできているのです。音を放っている、という言い方をしてもいいのですが、要点は、**目に見えない振動**が残っているから。その「音」の振動した鋳型に**幹細胞が集まってくる**。そして物質の尻尾になるわけです。

エーテル体でできたトカゲの尻尾

「音」って創造者？

最近、**幹細胞**のことがよく話題になりますね？　幹細胞は素敵なトピックですが、細胞自体には**シッポ構成力**はありません。幹細胞を引き寄せて**統一体を作る**のは誰か？　「**音**」なのです。この「音」でできた**尻尾の鋳型**があるため、その**エネルギーの場**に、**細胞がくっついてくる**のです。

同じことが、**顔**についても言えます。

もともと、顔なんてありませんでした。**赤ちゃん**になる前、お母さんのお腹に着床した時。**お魚**みたいになりました。それがいつの間にか、形を変えて、顔ができてきましたね。それは、**顔の音が最初に鳴っていた**から。顔の音が鳴っているので、顔の形ができるのです。**五角形**であるあなたの身体は？　**リラ（琴座）**でできたという**ヒューマノイド**特有の両手両足の**五角形**。お母さんの**羊水**の中で、五角形を作る**音が鳴っていた**はずです。

歳をとって、少し歪みが出てきたお顔。その**エーテル体**に、はじめに**顔ができた頃の音**を当てる！　と、**顔のエーテル体、霊体が元の形にもどってしまう**のです。

エーテル体がもどると、**肉体は、それに合わせざるを得ません**。すべての肉体レベルは

「**結果**」＝「**影絵**」に過ぎないから・・・

「音」や「振動」を感じる時代！

宇宙に存在する全ては、**振動**する性質を持った「**生きもの**」であるという話をしました。それが**途切れのない一様なエーテル体**として現れます。すなわち、**全宇宙は、振動する音でのみ成り立っているのです。物質も存在しません。**「音」＝「**振動**」**の密度の濃淡**だけ・・・

敏感な人。後半の驚きトピック体験談の野口さんみたいな方には、それが分かります。人に会った時に、その人が**どういう人か**？何となく感じる。ああ！**良い人だなー**、とホノボノする。逆に、ある人が来ると、ちょっと**帰ってほしいな〜**！って。

私はある講演会の時、**お腹がすごく痛く**なり困りました。苦しさのあまり、あの**おじさんが来れば治る**！と直感で思ったのです。案の定、そのおじさんが来たらすぐ治りました。もの**凄く能天気な**おじさん！**何も考えない**人でした。その人が来ると腹痛が治ってしまったのです（笑）。おじさん。また来てね！

実は、その人が発している**エーテル体の波動**（振動＝音）を、五感以上の**センサー**で感じているからです。

マナーズ博士が発見！　凄い音群

ピーター・ガイ・マナーズ博士。**九十三年**の人生のすべてをかけて、**各臓器の、すべての音を洗い出しました。五十年以上**かけて、**数千の音**を発見したのです。

胃の音を一つ見つけるだけで、**三年から五年**。おなかの臓器はたくさんあるので、胃だけを特定することは至難の業。そこで、マナーズ博士は、学生を**三千人**動員。病院の臨床現場で、様々な**臓器の音**、**数千**を見つけ抜いたわけです。

音でチャクラの詰まりを解消！

医学的な方法では見つけられない音がありました。**チャクラ**というのは、体に**7種類**あるとされる車輪のような霊的器官。そこから**エネルギーが入ってくる**、気の通り道のようなもの。

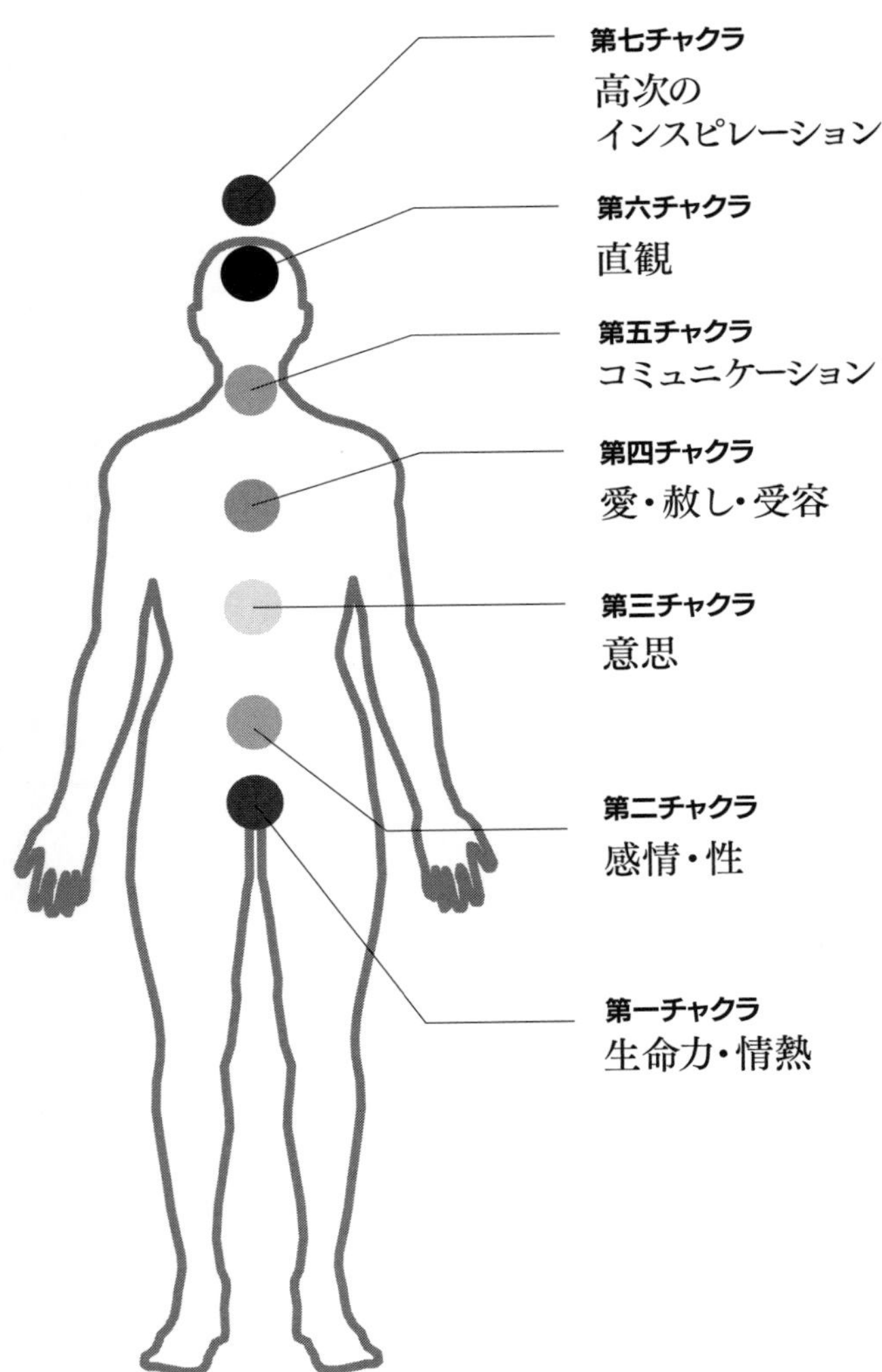
第七チャクラ
高次の
インスピレーション
第六チャクラ
直観
第五チャクラ
コミュニケーション
第四チャクラ
愛・赦し・受容
第三チャクラ
意思
第二チャクラ
感情・性
第一チャクラ
生命力・情熱

7つのチャクラ

人間は、肉体を持ってこの**三次元**にいます。が、**四次元**以降のエネルギーがないと、人体を維持することはできません。**高次のエネルギー**がなくなれば、すぐパタッと倒れて、死んでしまうわけです。

三次元の**肉体はただの影絵**です。**トーラス構造のマカバ**でもある人体。目に見えない世界のエネルギー。チャクラから入ってきます。

現代人は、**チャクラが詰まっている**人が多い。

第二チャクラといって、**丹田のところもガチ詰まり**。ここが、つまっていると、つまらないことに・・・男性は**前立腺**がダメになり、**前立腺肥大**などに。女性は、**女性性**が失われて、子供ができ難くなります。特に、**セックスの快感**が薄れます。

【ヒーリングウェーブ】には、**第二チャクラ**を**正常化**する音も入っていますか？当然です。音の出る小型スピーカーを、**丹田**のところに置きます。さて、男性の場合は、困ったことがあります。翌朝、四時半ごろ「**高校生の時の様**です！見せてあげたい！」というメールが入りました。・・・見たくは、ありませんが（笑）・・・

女性も同じで、すごく**色っぽくなる**というか、華やぎが出ます。ということは、**いかに**

現代人は、第二チャクラがしぼんでいるか！ということ。肉体に、エネルギーが通っていない。昔に比べ、生命体として弱くなっているわけです。

マナーズ博士は、肉体の臓器の音だけでなく、**目に見えぬ次元に実在する、さまざまな種類の音**を発見しました。**七つのチャクラ**はもとより「**愛**」「**幸福感**」、**リラックスの音**とか、「**恍惚**」という音も発見しています。

一体どうやって発見したのか？　実は**超能力者**の手を借りています。マナーズ博士は**医学博士、ドクター**ですが、医学だけでなく、様々な**超能力、ラジオニクス、チャネリング**とか、**ダウジング**、様々な方法を使って音を特定。**二人三脚の奥様**も、**超能力者**だったようです。

歴史上の快挙！

【ヒーリングウェーブ**】**の中には、**マナーズ博士が発見した六〇〇**の音と、**弟子たちが発見した六〇〇**、合計一二〇〇の音が入っています。

こんなことは、**地球上でここ五千年間、誰もやったことが無いかもしれ**ません。

これは、**奇跡に近い業績**です！　このようなテクノロジーは、本来、何千億だしても手に入らないでしょう。

思わず、その**奥の深さに唸ってしまいます**。ですが、**まずは、美容に使ってみましょう！**

２　ゲーム感覚で美の回復！

顔が上がると心も上がる！

【ヒーリングウェーブ】は**変**です。**リフトアップ**の目的で**顔に**かけているのに、お尻が上がって来ます。リフトアップでスピーカーを**左の胸**に当てていたら、左だけ上がってきたので、最近は**右**にも当てている・・・

顔に当てているのに、**目が良く**なってしまう・・・

リフトアップの音の中に「**細胞再生**」の音が二つ使われているため。顔には目がついているので、**ついで**に目の細胞が再生。**リフトアップ**の音をかけていたら、**視力**がもどって、気がついたら**スマホを裸眼で見ていた**。遠くのテレビの**字幕が裸眼で**読めるようになった。

などなど・・・

これは、実際に**【ヒーリングウェーブ】**を使って**リフトアップ**した女性たちの写真・・・

左が使う**前**で、右が使った**後**。**一回だけ**でこうなったりします。使用後には、おばさんイメージが払しょくされていますか？

次のページは、別の女性で、一枚目が使用**前**、二枚目が**直後**、三枚目が**翌日**の状態。

別人の様ですね？　しかも、直後より、**翌日の方が良くなっています。**

顔のエーテル体が先に戻ってしまうため。**肉体**

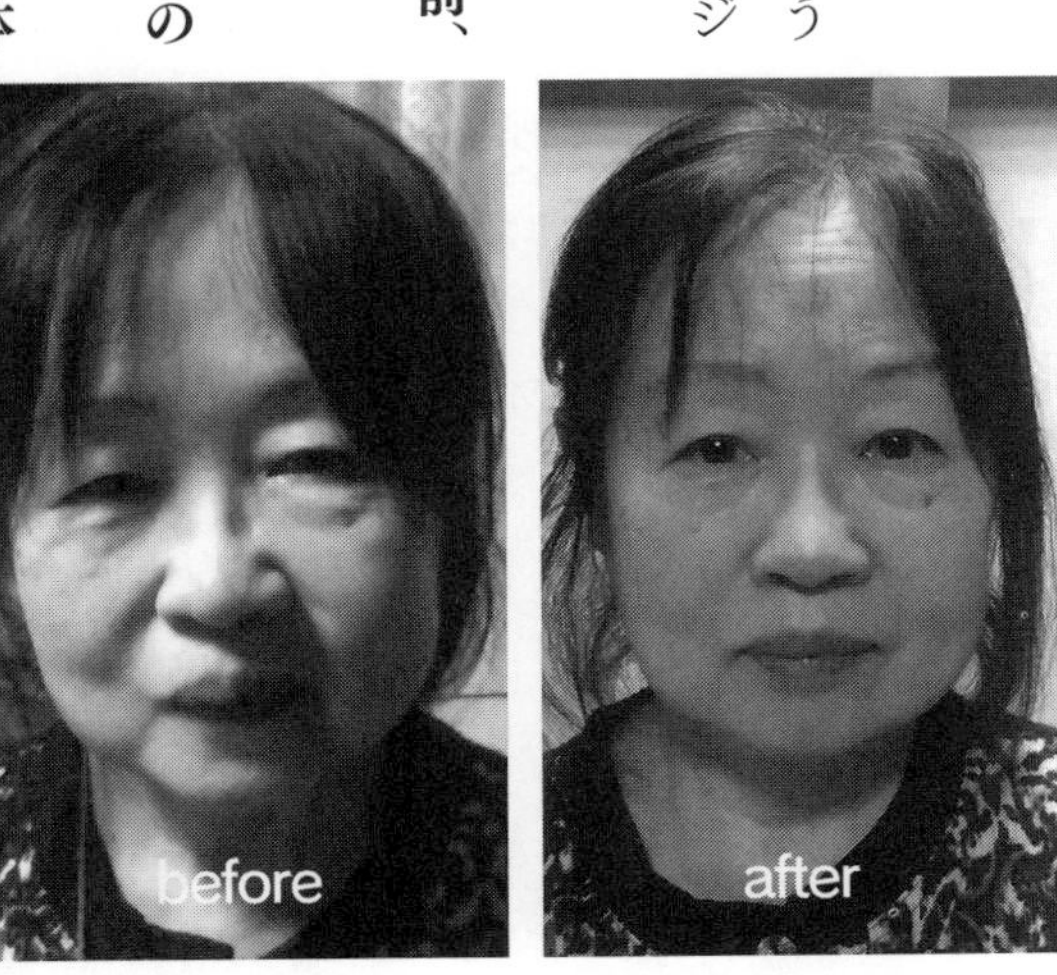

リフトアップした事例①

がそれに合わせるまで、少し**時間がかかる**からです。

後になるほど上がってくる！

普通は、**施術の直後**が一番いいですが【ヒーリングウェーブ】の場合は**逆**。まず、**色が白く**なります。次に、**透明感**が出た上で、**ピンク**がかってきます。そして、**目がどんどん大きく**なってきます。

翌朝くらいが一番大きいです。会社に行って、一日中**会社の人間からジロジロ見られた**と言った人がいました。**第三者から見て、それほど違いを感じる**のです。

美容に面白いのは、どんな音でしょう？

想定外の魅力！

まず、**ウエストとスリーサイズ**をよくする音・・・

before

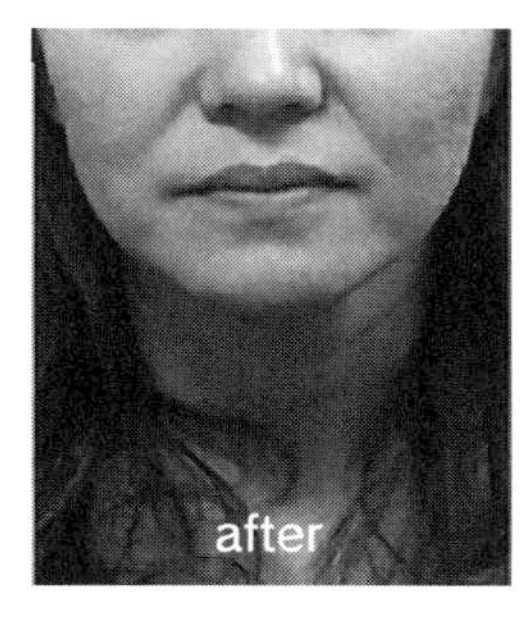

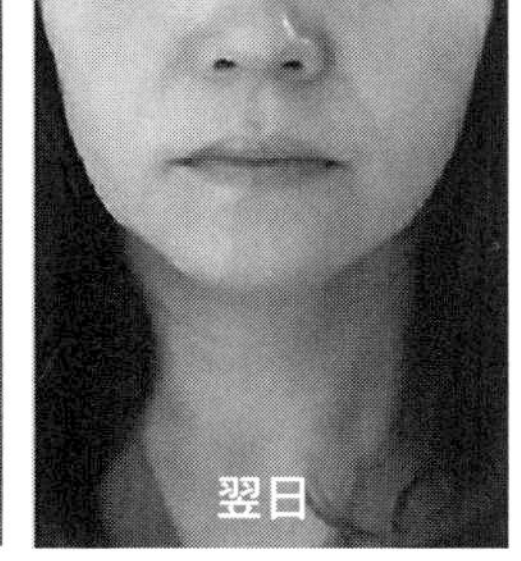

リフトアップした事例②

もともと**若い頃**は、スリーサイズは良かったはず。まず「**ダイエットの音**」を使う事ができます。

「**二の腕**」だけでも、**15個**の音が用意されています。「**浮腫**（ふしゅ）」といって、**むくみを取る**音。「**脂肪燃焼**」という音、「**経絡**」の音や「**エーテル体**」という音。**様々な手段**があるのです。

面白いな！と思う音を、**ゲーム感覚で自由に**使ってみればいいのです！

自分に**フィットする音**の場合は、すぐに**結果が現れます。**【ヒーリングウェーブ】の音は、**副作用がない。間違ったって構いません**ので、とにかく使ってみて、**試行錯誤**で「**自分専用の音**」が発見できます！面白いですよ！

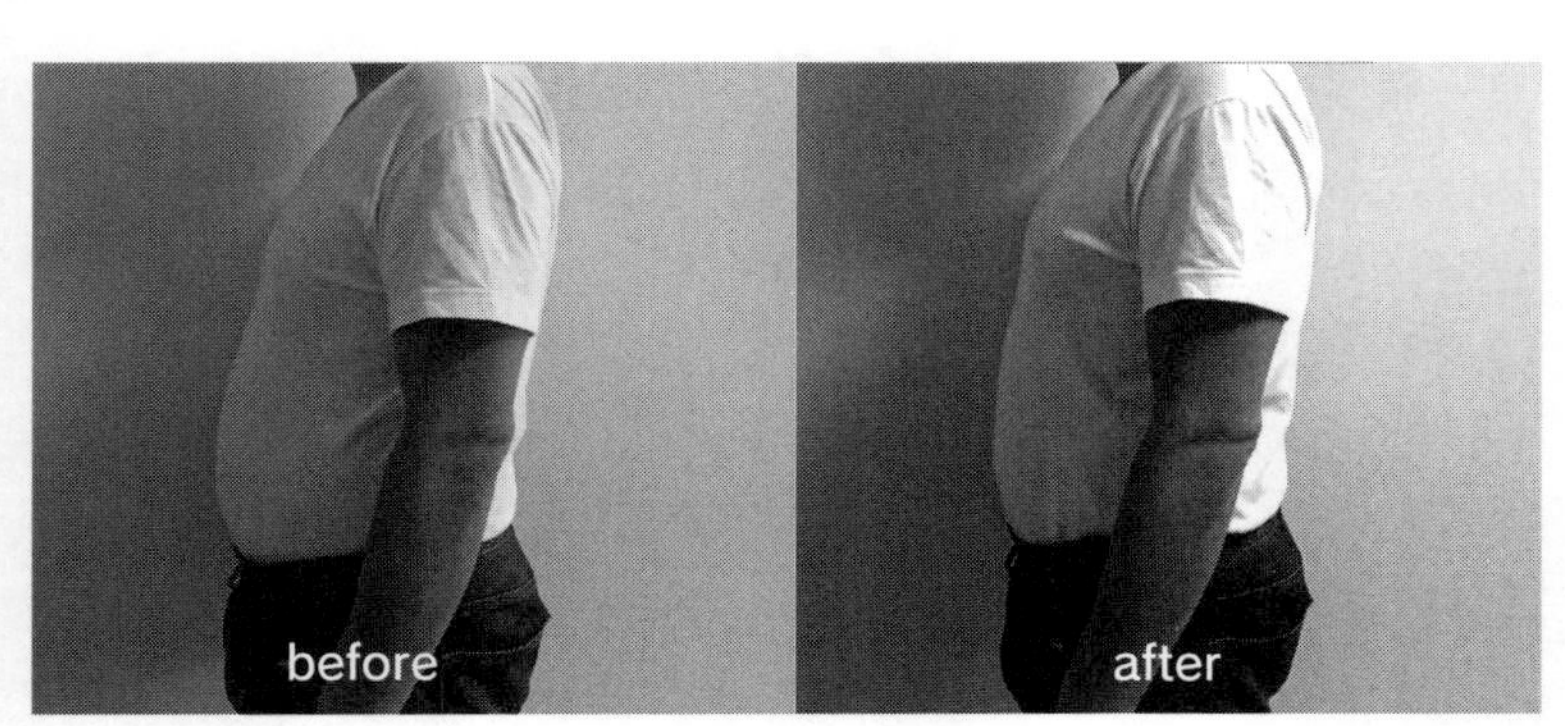

ウエストが細くなった男性。一時間で -5.5cm 減！ そのまま維持している。

チーズじゃなくて、ウエストは、どこへ行った??

ダイエットに効く音というのは、たくさんあります。

右のページの写真の男性は、**ダイエットの音**を**20分**かけました。その後**1時間**待っていたら、ウエストが**5・5センチ**細っていました！　お腹に触ってもいません。ウエストは、**どこに行ったのでしょうか**？

労働者の手が！

これは**七十歳の女性の手**。ご自分を「**労働者の手**」と呼んでいました。**上の手に一回**だけ当てました。一ヶ月くらい、このままの状態でした。もちろん**個人差はあります**が・・・

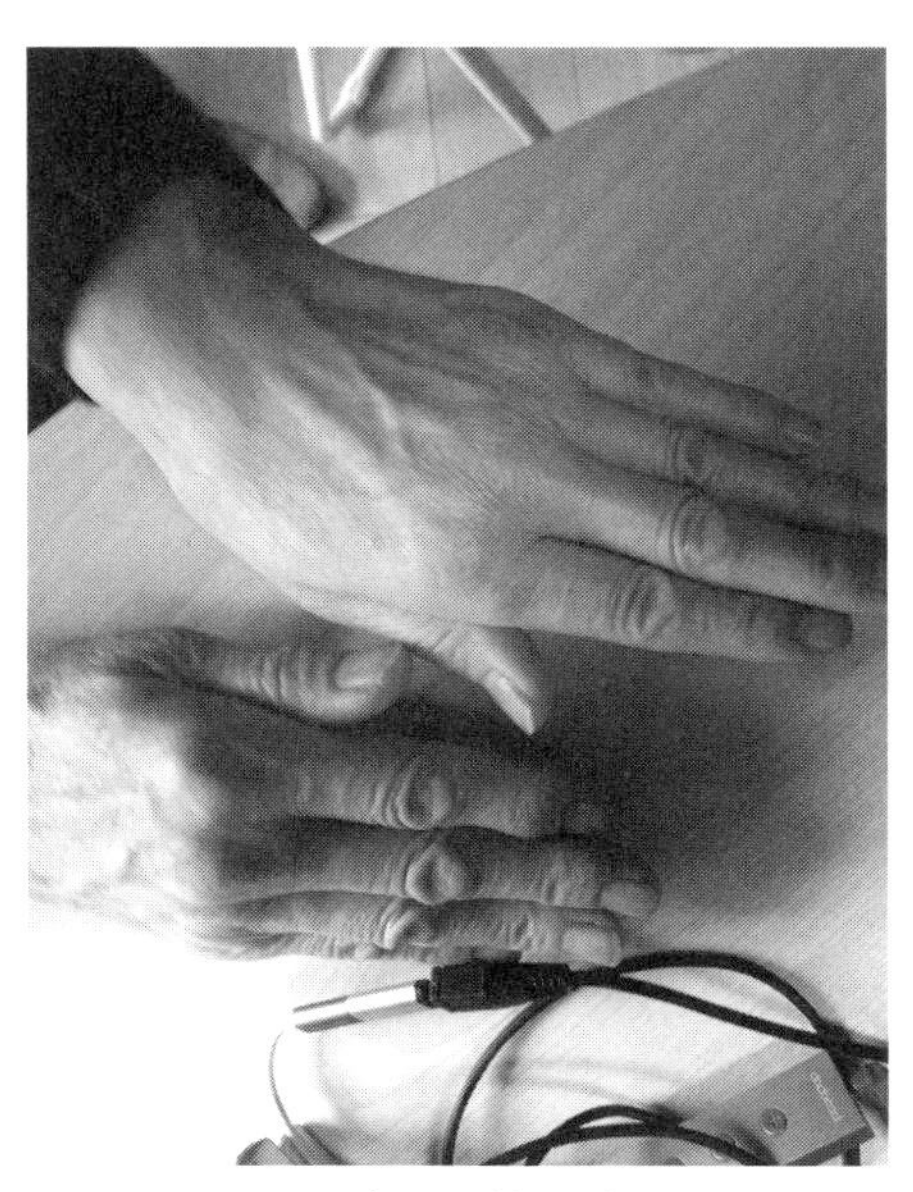

70 歳の女性の手

シミの運命は？

使用前が1枚目の写真。この方は、**20分**音を当てたところ、**かえって濃くなりました。**
それが**2枚目**の写真。その後、そのまま遊びに行って、二時間くらいして帰ってきて、また**15分**やりました。その結果が**3枚目**の写真。**一回浮き出てきた後に、シミが薄くなりました。**

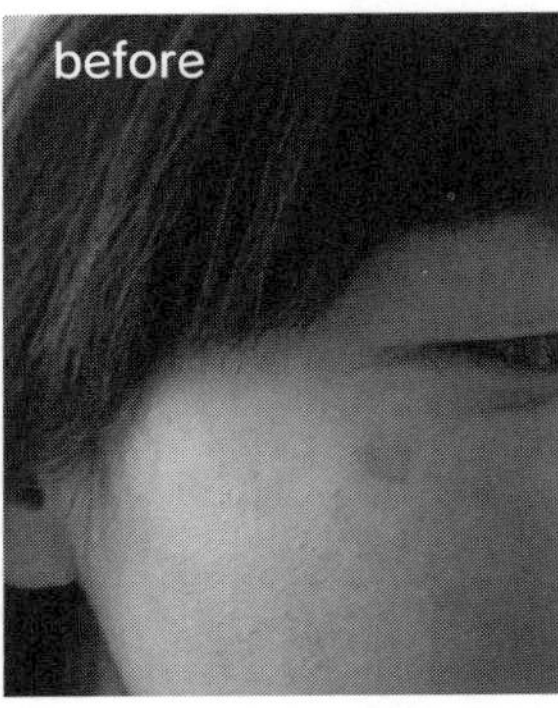

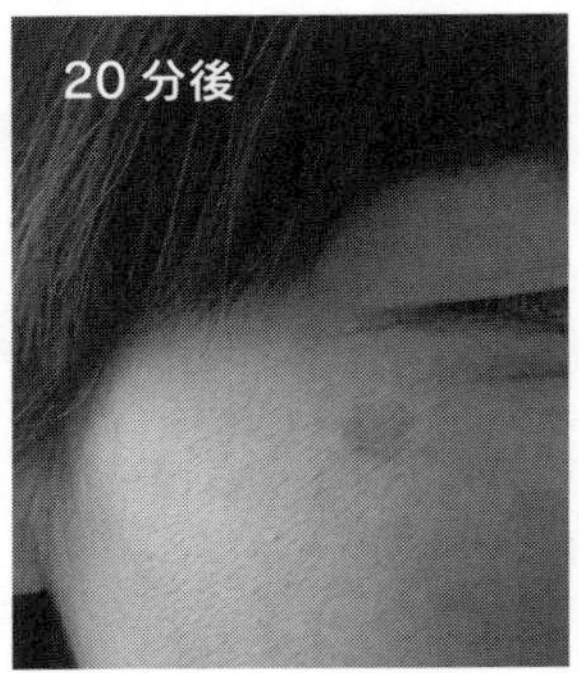

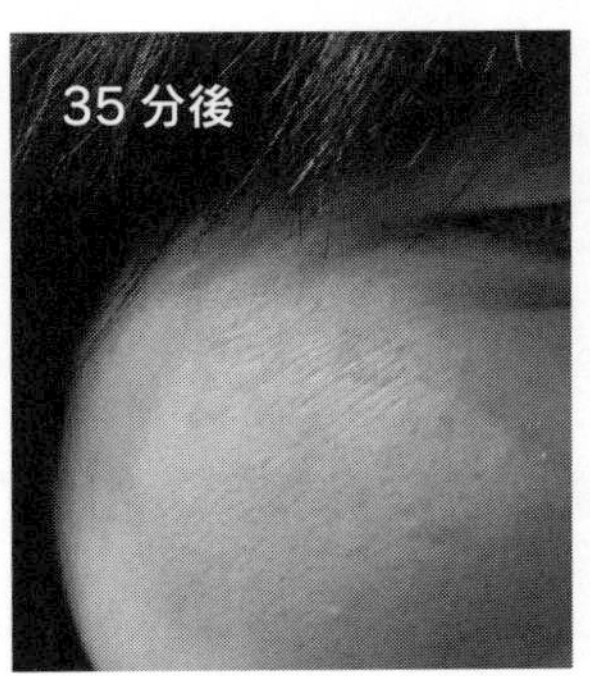

シミが薄くなった女性

馬のシッポ！　サラサラに

【ヒーリングウェーブ】には、**髪の毛の音**が何種類も入っています。「**ヘッドスパ**」という名前の音も。髪の毛はだいたい**3分から5分**で変化。

先日、ある**女優さん**が来て、二日後に友達を連れてきました。その女性は自分の髪の毛を「**馬のシッポ**」と。確かに、**ゴワゴワ！**ところが「ヘッドスパ」を髪にやった。**3分後**、お互いに触りっこしたら、**サラサラになっておりビックリ！**しかも、翌朝起きた時、髪の毛が**暴れなかった**そうです。**髪質が変わっってしまった**のです！

育毛増毛できるの？

何しろ、**非常に気持ちのいいサラサラ**になります！個人差はあると思いますが、**くせ毛**が**直毛**になったり。**猫っ毛**の人は、**キチッ！とピン！**とします。薄かった人も**コシが強く・・・**

一回で濃くなりました！私自身、初回にヒーリングウェーブを使った時。まさか１日で毛は生えませんから、おそらく、**太くなったりピン！とコシが出た**のです。実際に生えて来るまでに、**三ヶ月かかりました**。が、**美容院で凄く増えましたね！と**今回も言われました。**やはり嬉しい**ですね・・・

今まであった療法とは、全然違います。**丹田にかけていた人の顔がツルツルになる。顔に当てていた人がヒップアップ**する。**治すとか変えるのではない！「全てを元にもどす」**。これは、**今までになかった概念。「人類の新しい生き方」**ともなるでしょう！

所要時間は？

体の器官が、**元にもどる**までの時間。当然、**個人差があります。原因も違う**からです。元の状態、**正しい状態の音**。この状態から**さほど歪んでいない人の場合は？　すぐ正常にもどります**。音＝振動が**歪みきった人**の場合は？　すこし**時間がかかります。好転反応**は、本質的には、**改善に不可欠**な反応。**歪みが大きい場合は、出やすく**、歪みが**小さい場合は起きません。**

おなかの中のボールは、今多くの女性が持っています。**サッカーボール**みたいに大きい人がいました。そういう場合は、**エーテル体がかなり歪んでいます**。多少**時間がかかる**でしょうし、好転反応も起き得ます。しかし、**いいテンポ**で使われると、**楽に乗り越えられます。**

どれだけ持つの？

効果の持続時間は、気になるでしょう？**リフトアップ**の場合は、一回やって平均して**1週間**くらい。**定期的**に使うと、もう**老化後にはもどらない。若いままです！一年も使っていたら、凄い**ですよ！

先日**女優さん**が来られた時。21日目に会いましたが、そんなに変わっていませんでした（持続した）。

良くないのはこれ！**夜遅〜く！まで起きている。毎日お酒を飲んでいる**とか、**非常な不摂生**をしている人の場合。効果が**分かりにくい**ことはあります。

【ヒーリングウェーブ】を**持っている人**の場合。**定期的**にやったり、**毎日**使っていたりすると、**まるっきり違う顔**になるでしょう。**高校生**のようだ！昔のお母さんにもどった！などよく聞きますね**・・・**

同窓会対策と芸能人対策と若返りの困惑！

郷ひろみと**ツーショット**を残す。**同窓会までに若くなる。**色々いらっしゃいますが、**前**

者では、好きな芸能人より**5歳ほど年上**の女性です。**ツーショット**に収まるため**【ヒーリングウェーブ】**を徹底して使いました。結果は？

色もパールのように白くなり、艶も出て信じられない若さが輝きました。今の彼女の感想です。「**もし、ヒーリングウェーブを知らなかったら？と思うと・・・ゾッ！とします。**」また、後者の例です。年に一度の**同窓会。**これも徹底して【ヒーリングウェーブ】をかけました。郷ひろみケースと同様、**七十を超えた方。同窓会では大人気**！皆さんから、**どうしたの？何をやったの？**と引っ張りだこに！

しかし困ったことも。「**この年になって、女性として若くなり過ぎてしまい、大変困っています！**」と。どう困っているのか？何度聞いても、**もじもじ**していました。とうとう教えてくれませんでした。どうしたんでしょうね？？

３　体調不良が元に戻った！

名古屋の名花、**浅野**さんから・・・

「**嬉しい報告**をいたします。知り合いになった方で、かなり**酷**（ひど）**い鬱状態**の人に、**鬱・頭痛・耳・愛**の音を送り、その後、分からないけれど、**バッチフラワー**の音を、順番に流しました。**毎日酷い頭痛と、耳に竹串を刺されているような痛みと憂鬱で、外出も断念**されていたそうです。

昨夜、寝る前にその周波数を送って、**今朝**その人から**いつもと全く違い、今朝は楽に起きれた様**です。しかも、**心が安定して穏やか**でいられます。**頭痛も耳痛も、かなりの改善**が見られたようです。」

信じられない！　赤ちゃん。**生まれつき腎臓が動かない。**そこに「**腎臓**」**の音**を当てた。

今その子の腎臓は？　**正常に動いている。**

四肢の麻痺

四肢の麻痺で、**ハイハイ状態**の人がいて、**手足が不自然に曲がって立ち上がれない**。その人はお金を持っていたので、**数千万円も使った**そうですが、ダメでした。

そこで、この技術を使ったそうです。先日この人に会いました。廊下も道も、**スタスタスタスタ普通に歩いていました！** **全く普通の人**に見えました。

背骨の痛み

青くなっていました！ **川村さん**という方のお母さんは**九十三歳**。**第五、第六頸椎**（けいつい）**が潰れていました**。それで、**骨に神経が挟まって痛い**。もう**横になれない**くらい痛くて、**MRIも撮れない**。

川村さんは、目の前が真っ暗になり、これは**一生介護か**？ **施設か廃人か**？ と覚悟。

ちょうど**【ヒーリングウェーブ】**が開発された頃。**川村さん**は、すぐ導入したわけです。

そして、お母さんのところに行って、**背骨の音**等を当てました。**一ヶ月**経った時、痛みが止まったので、病院に行って**MRI**を。そうしたら、**第五、第六頚椎が、元の形に、元の大きさにもどっていた。**それっきり、今、**痛くもかゆくも、全く何ともない**そうです！

今まで、痛いときは**外出もままならなかった。**なのに、今ランチの度に**呼び出されて、**今日はどこどこの**パフェ**を食べる、**今日は鰻**だとか言って、もう**食事のスケジュールが目白押し**なんだそうです。**痛みが取れると、そうなる**んですね！

糖が高すぎる

血糖は結果。**合併症**も結果。糖尿の**原因は、腸障害。**腸で**血が作れないので、活性酸素を消せない。**そのため**合併症**が出ます。**白内障、アルツハイマー、**そのほか**壊疽**になったり、**腎障害**で**透析**しなくてはならないとか、合併症は大変です。

合併症の原因は、**活性酸素。**普通の人は活性酸素は消せるのに、**糖尿**の人は消せません。**血の量と質が悪い**ためです。活性酸素を消す**血の力が弱い。アーユルヴェーダ**の**大家ラトナパーラ博士。五千人**以上を改善させました。**血を強くした**のです。

これに対しては、**血を作れる**ようにする。それは**消化器官**による**酵素の有無とバランス。腸能力を上げる**ことです。そうやって**音を選びます。**
消化（代謝）能力を強くすると、**血ができる**のです。

頭の血管が詰まる、破れる

何種類ものやり方があります。
まず、**固まってしまった血を元にもどす**場合、**血の浄化**が必要。多くの症状が、**血流障害**で起きます。そこで**血液循環**の向上が有効。これを基準に「**音**」を選べます。

しかし、そもそもの原因、**大元の問題**は何でしょうか？ **脳血管に詰まりがある。破れる。**その原因は、**詰まった毒素。**それはなぜ生まれるのか？ **酵素のアンバランス**です。その原因は、**消化（代謝）能力**なんです。**腸**をはじめとした**内臓。**そこで作られる**代謝（消化）能力の元、酵素**といわれるものが**アンバランス**な時。**未消化毒**が発生します。

専門用語では**アーマ。**未消化毒アーマは、**あらゆる管に詰まります。アーユルヴェーダ**で言うところのアーマが、あらゆる管に詰まっている。それが**血管を詰まらせたり、破ったり。**この人の**消化能力の問題**なのです。

消化能力を上げることを目的に「**音**」を選びます。その他、**浄化、デトックス**系の音がたくさん発見されています。

結果として、**アーマ（未消化毒）自体が発生しなくなる**のが目的です。

統合。【吉田統合研究所】は、**統合**とうたっていますね？**音響医学**や**西洋医学**だけでなく、**アーユルヴェーダ**、**電子療法**など様々な知見を動員して、使い方を探求しています。

もちろん、最初から**高度な使い方**をする必要はありません。可能性の説明をしたまでです。ただ顔の**リフトアップをするだけでも**、**充分面白い**技術ですよ！

身近な人のボケには？

脳能力の初期設定化ができたらいいですね？**日本の高齢化**。それに比して、**寝たきりやボケの大量発生**。こんなご時世です。原因の一つは**血液**です。**活性酸素**が溜まっています。**活性酸素**は、**普通の人は消せる**のですが、この症状の多くは、**血が弱くて消せない**のです。**メタ**ボから、**糖尿**に至り、**アルツハイマー**に発展する危険があります。**糖尿の人は、アルツハイマーになる確率が、そうでない人の４、５倍。**

従来、**脳の改善**には、効果を表わすのに**3、4カ月**かけていました。【ヒーリングウェーブ】では、**ずっと早く**驚く変化が起きています。

皮膚のつらさ

他の症状と比べて、**特に時間がかかるのは、重度のものです。**【ヒーリングウェーブ】に**進化する前。**ヨーロッパは、**一ヶ月では効果が出ませんでした。**が、**より長期でいい結果が出ました。**

しかし【ヒーリングウェーブ】の場合、**音を5種類同時**に使っています。**相乗効果**も期待できます。

極度に免疫が下がる

コップ一杯の血。毎日、胸から出ていました。**八十代**のご婦人。【ヒーリングウェーブ】使用一か月後。まず、**シワが無くなっていました。**同時に、血が出る**心配もしなくなって**いました。

3種類のやり方があります・・・
というのは、問題は３つ。必ず**低体温**。それから**低酸素**。そして体が**酸性体質**。
この三つを変えたいですね。

一つ目は？【ヒーリングウェーブ】を使っていると、**高体温**になる可能性が高い。元々の体温が**34度台**だった女性。危険水域ですね！それが【ヒーリングウェーブ】を使って、**36度台**まで上がりました。

二つ目の、**低酸素**に対して。**酸素量**を増やしましょう！**ヘモグロビンを増やす**、**血液循環を活発にする**、それらを目的に「音」を選んでみましょう！さらに「**腸美容**」の音で、血を作りやすくしましょう。

三つ目の**酸性体質**には？**酸とアルカリのバランス**を整えましょう。それを基礎に「**音**」を選びます。

極度の免疫低下に、もう一つのアプローチは？

脳の**視床下部**がおかしい人が多いのです。そして**アドレナリン過多**です。要するに、**いつでも戦闘状態**に入っています。**人生と戦っているんですね**。ちょうど、**アクセルとブレーキを一緒に踏んでいる**ようなものです。**夜も眠れない**人も多い。その結果どうなるか？　というと、**免疫系が乱れていて、リンパ球がやたらに少なくなっています**。つまり、**免疫不全の究極**ですね。

視床下部をバランスし、**アドレナリン**が減少する様にし、**自律神経**のバランスをとる。それらを目的として「**音**」を選びましょう！　**病気の発端**には、多くの場合、**自立神経の失調が伴います**。

また、**鬱が解除する**、**リンパを増やす**ことを**ターゲット**として選ぶと、**精神と神経**、そして**免疫を安定**させます。

「**毒解毒**」。その他**デトックスの音**も忘れてはいけません。**症状が出なくなっても**、**毒がうまく出せずに助からない**人は多いのです。普段から「**重金属の排出**」などの音で、排出しておきましょう！　**世界一**、**添加物などの化学物質を摂取している**のは、**日本人**なのですから。

音「愛」が不可欠！

愛の欠如、不足。ほとんどの**症状の根本的な原因**はこれかもしれません。「**自己評価の低さ**」↑**愛の不足**（自他への）。**クリニック**等では、よく**愛の音**を使います。クライアントさんは、**笑いだすか、号泣する。**愛の音が、**自分本来のブループリントに共鳴**するからです。

喉（のど）の腺には？

ホルモンの機能が落ちた女性。「あなたは、**一生涯、薬が手放せません！**」とドクターに宣告されました。**【**ヒーリングウェーブ**】**を**3日間**使いました。「**もう薬を飲まなくて結構です**」。**ニコリともせず、**同じドクターがそう言ったそうです。

肺の異常には？

葉山の**松本さん。**大変すてきな**娘さん**がいます。が、**肺**に異常があり、**穴が開いていました。**松本さんが「**遠隔**」で娘さんに音を送りました。病院に行って調べました。**穴は、ふさがっていた**のです！穴はふさがりましたが、弊社のドクターは、**開いた口が、ふさがりません**でした。

しかし、これらは**治療ではありません。治す、変える**ではない。すべて「**元にもどす**」。人間の**新しい生き方、新しい生活パターン。**「**音**」が元に戻ると、すべて元に戻るのです！

クリニックでは？

アメリカの金メダリストも使っています。が、医療施設ではどうか？**マナーズ博士の音**で治療する**クリニック**は、日本で**１００を超えています**（**イギリス、ドイツ**ははるかに**多数**）。二〇二〇年春には、**ウクライナ**の有名な**サナトリウム**で、シンポジウムが決まっています。

ペットは劇的！

【ヒーリングウェーブ**】**は、**ペットの人生（動物生）を変えます！**

この**犬**は、**目が白内障。「レンズ修復」**という音があるので、かけました。下が**40分後**の写真で、もうすでに目が澄んでしまっています！

驚いたのは2点！まず、**人間の目の音で、犬が良くなった**こと。もう一つは、**動物は（効果が出るのが）早い**ということ。

犬、猫、鳥、モモンガetc.人間の音が**ほとんどの動物に効く**ようです。どうも、**地球上に住んでいる生物の身体パーツ**

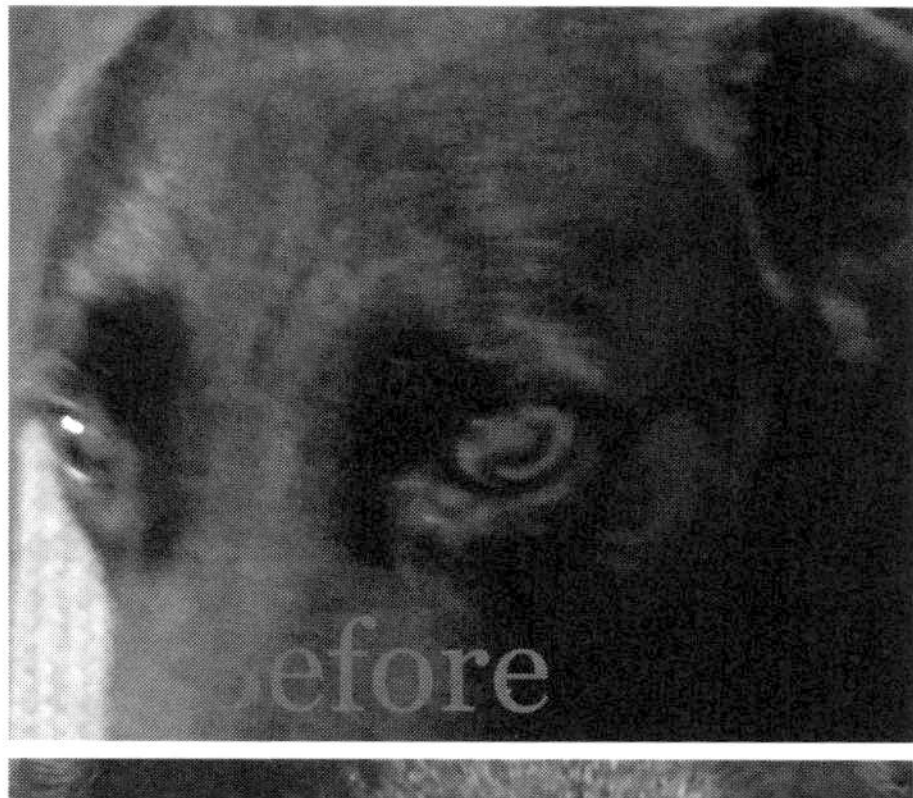

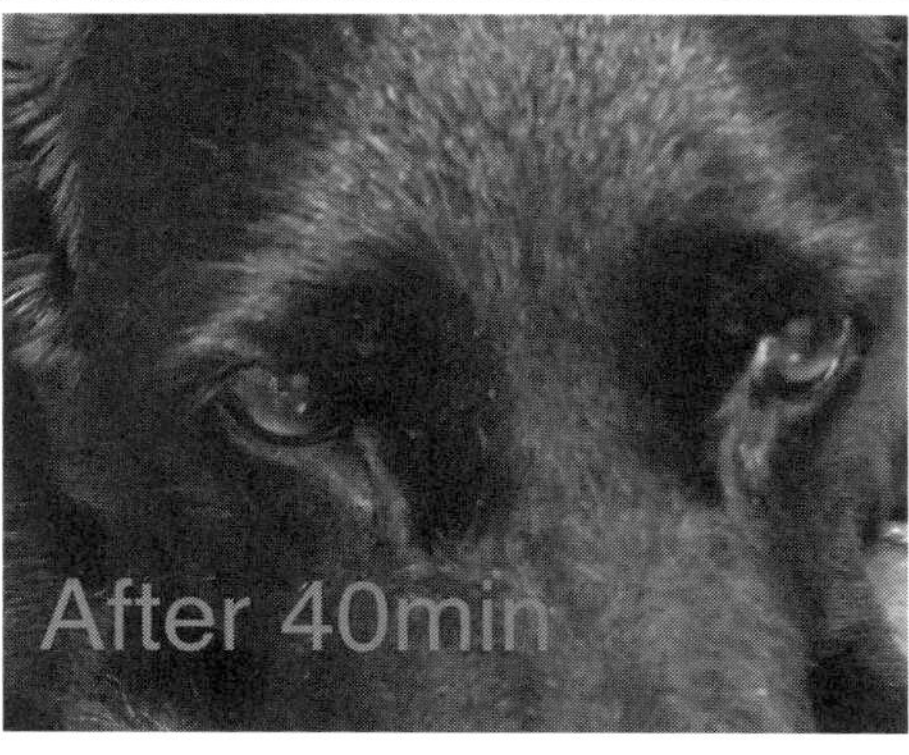

白内障の犬

は、おおよそ同種の音でできている可能性がありま
す。

効果が出るのが早いのは、**動物には疑いが無い**か
ら。

人間の場合、**わたしの乳がんは絶対に治らない！**
などと信じ込んでいれば、そういう想念の影響を受
けるでしょう。「**治ってはいけない！**」も**ポピュラー
な固定観念**。

しかし、**犬は何も考えていない**ので、**ストレート
に効果が出る**のです。

他の犬は、やはり**白内障**で、もう**かなりの高齢**。
じっとして**静かに暮らしていた**そうです。それが何
と、目の音を当てたら、**白い濁りが取れた！** その
後はずっと、**子犬の時と同じように、遊んでいる**そ
うです。もし人間だったら「**ナニコレ！ 信じられ
ない！**」など、もっと驚き表現があると思いますが、

動物にも人間と同じ音が有効

犬は何も言わない。淡々と、子犬の時のように遊んでいるのです。**いいですね！動物って・・・**

「**腸美容**」という、**腸を良くする音**をスピーカーから出しておいた**バイオリニスト**。そうしたら、**猫がスピーカーの前にやってきた**。顔でなく、**お尻をクルッ！と音の方向に向けました**。動物は本能的な感覚が強いので、**必要なことがすぐに分かる**ようです。

聖フランチェスコ様現象！

長野の**松本**に住む**高橋さん**。縁側で**愛の音**をスピーカーから出しておいた。そうしたら、**森中の動物がやってきた。鳥たちはピッピピッピッ！と鳴いて飛び、猫は鼻を突っ込んで覗き見に来た**。こうなるともう、**アッシジの聖フランチェスコ**の世界！

腸美容をうける猫

4　心の健康だけじゃない、驚くべき可能性！

心の音って何？

病は気から。究極的には、**すべての症状のベースに心があります。【ヒーリングウェーブ】**には、**膨大でユニークなメンタルの音群**が入っています。

音「個人的魅力」！

「**愛**」や「**金銭**」に次いで、最近人気があるのが「**個人的魅力**」。

この音を使った女性。久しぶりに会ったら、**別人のように魅力的**になっていました！初めて会った時は、**表情無く、お地蔵さんみたい**。封建的な旧家に嫁いだせいでしょうか？

先日、私が研究所で講演をしている時、彼女は、壁に寄りかかって、首を傾げて頬杖をついていた。その感じが、**何とも可愛いんです！**かつては、**そういう格好は絶対にしな**

い娘だったのに・・・

本人に聞いたところ「**個人的魅力**」使用後の今、**小学生みたいな気持ち**になっている！と言うんです。子供の時に、**毎日が遠足みたいで、何でも楽しかった！**という感覚。これが「**個人的魅力**」という音の効果。**マナーズ博士！一体どうやってこんな音を見つけたのですか？**

この様に、**マナーズ博士**は、**ありとあらゆるタイプの波動調整への対応策**として、**九三年の人生**で、**数千の音**を残してくれました。**心より、感謝いたします！**

あなたしか見えないの？

ある**奥さん**が【ヒーリングウェーブ】を買って使った。**旦那さんが優しくなって来たそうです。**これはよくある話。むしろ、**今では当たり前**になってきました。

ある女性は、**男の子と二人**で暮らしていました。息子さんはご飯を食べ終わると、もう**部屋に引きこもってしまう**ような子だった。ところが、**愛の音**を**自分に**かけるようになった。すると、息子さんは、**ご飯の後にもドアを閉めなくなった。「今度こういうオカズを作って欲しい！」**というようなことを言って来るようになった。

愛の音を、**自分だけ**にかけているのに、**旦那さんや息子さんが変わって来ます。**

ベランダの花が満開になった！**自分に愛の音をかけていたら、**という報告も・・・

「周波数」しか見えないの！

不思議な感じがしますか？　実は**宇宙の法則**の一環。やがて、はっきりと知られるようになると思います。宇宙には「**周波数しか見えないの！**」という法則があります。「**あなたしか見えないの！**」じゃなくて・・・

この**宇宙**には、大きく**空間**があるように見える。けれども、実態は**プラネタリウム**なんです。

天井の方を見上げれば、そこに宇宙があるように見える。しかし実は、**下の方から投影**しているボールのように**丸い映写装置**がある。そこに無数の穴が空いていて、光が出ているだけ。その穴を塞ぐと、天井に映る星は何もない！

宇宙というのはこれと同じ構造。**映写装置が私たち**。すると、**宇宙**や**人生**で見えてくるすべてのものは何か？　**自分の内側**を見ているのです。**すべての外は、すべて内側**。

私たちは**外の世界**に何を見ているか？　**自分の「周波数」を見ている**のです。「**周波数**」とは、**信じている**こと、**感じていること**とおおよそ同じ。「**周波数**」という言葉でイメージしにくければ「**気分**」と言い換えていいかも。

「**気分**」の**通奏低音**みたいなもの。**高い周波数**になっていれば、**愛に満ち溢れている**。すると、**愛に満ち溢れている、と思わせるようなことしか起きない！**

逆に、いつも、**あいつも悪い、こいつも悪い、ウイルスは嫌だ！　自分は被害者だ！**　いう人。そういう周波数で生きていた場合、**それを証明する**

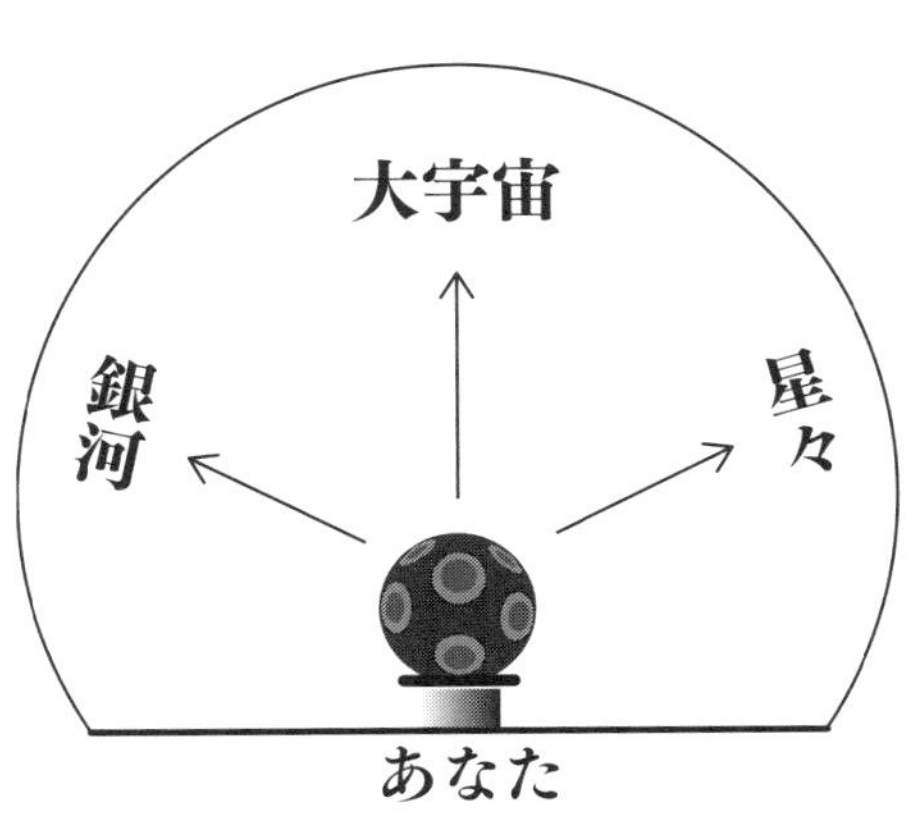

宇宙はプラネタリウムと同じ

ようなことしか起きないのです。マズいっスね！

宇宙は、とってもシンプルにできている。**宇宙自体**とか**人生自体**って何なの？**あなたの「周波数」の翻**訳です。

愛こそすべて！

先の女性の場合。初めは**ショボついていた気分**。しかし、自分に**愛の音**を当てているうちに、**愛の周波数と本人の周波数**が**共振・共鳴。全身の細胞が、愛に震える**ようになってしまった！

そうなると、**その人が見る現象には、そういうことしか起きない。「周波数」に見合ったことしか起きない**のです！

決して、**ご主人を変えたわけではありません。**ご主人には**何の関係もありません。本人の「周波数」が変わった**のです。

お花にも関係ありません。ご本人の周波数が愛の波長になる。すると、**見るもの聞くものが、全部愛にならざるをえない・・・**

遺産相続にも効く？

遺産相続の問題で、**おじいさん**が子供達全員と**反目**。頑固に**ハンを押さない**。それで、**娘さんが自分**に**愛の音**を当てました。そして**一週間後**。どうなったと思いますか？　このおじいさんは、ハンコを押したんだそうです。**鼻歌を歌いながら・・・**

紫陽花のよみがえり！

もう一つ、面白い体験が！【吉田統合研究所】に**野田**という**心優しいスタッフ**がいます。活けておいた**紫陽花**が**枯れてしまった！　しおれて、うなだれていた**。かわいそう！　ということで、花瓶の水のところに**愛の音**をかけて、研究所から帰った。夜になって、まだ残っていた女性に、あれどうなってる？　と。すると、**満開になっていた！**　そうです・・・

どれくらい咲き続けたか？　というと、そのまま**14日間も咲いていた！**

「愛」の音おそるべし！　愛すべし！　**一回枯れきっていたものが、それからずっと咲いていた。**もう**死のうと思っていた命。それが生き返ってしまう**のです。**愛が、元にもどす！**

（パートナーにも使えるかも？）

愛の音（周波数）がいかに凄いか！ということの証明かもしれません。

「遠隔」で音の共振・共鳴が？

音による**共振・共鳴の原理**で、エーテル体の修復が行われる。しかし実は、この波動が、**距離を超えてしまう！**ということが分かってきました。

まず、**紙やホワイトボード**に、ヒーリングの**対象者の名前**を書きます。その周りを**四角い線で囲います**。これを「**結界**」と呼びます。**エネルギーを散らさない**ためです。

いわば「**祠**」のようなもの。**その前にスピーカー**を置きます。

「遠隔」は、もともと、後半に登場する**野口さん**と

ヒーリングウェーブを遠隔で使う

いう女性が発見！ **お孫さんが風邪をひいて熱が出た時**に、**直感**があって試しました。やってみたところ、実際に**お孫さんの熱が下がります**。それも**何度も体験**しました！

野口さんが、そのやり方を他の方に教え、**自然に広まった**使い方。現在は、ほぼ**全愛用者が、恩恵に浴しています。野口さん、有難う！**

「**遠隔**」**でリフトアップ**。最初、それを送られた方が、**私には効果がない**と言ってきました。ところが翌日、また連絡が来て、**シワが無くなった！** というのです。私も初めは、**本当なのか？？ と耳を疑った**程です。

この「**遠隔**」という使い方は、**日本スタート！ 世界中で誰もやっていない**のではないでしょうか？ 病院が多く採用している**イギリス**でも、**ドイツ**でも・・・現在では【ヒーリングウェーブ】**愛用者のほとんどが**「**遠隔**」**をしています**。

遠隔で恋人？ コアラが救える

距離は、関係あるでしょうか？「**遠隔**」の場合は、**対象者との距離は関係ない**ことが分かってきました。

お隣の家に向けようが、**オーストラリアの自然界**に送ろうが、効率は**同じ**。**エーテル界**

とか、**アストラル界**というのが、この三次元の物質世界に**重なっています。**そこは、**時空のない別の次元。**

【ヒーリングウェーブ】の「音」は、**エーテル、アストラル界に共鳴**します。したがって、**距離を超える**わけです。

私たちの**物質界**は、**3次元**に見えますね？　しかしここは、3次元のみならず、すでに**次元が交差している「多次元世界」**なのです。

次元というのは**周波数の違い**。我々の脳は3次元しか見ようとしない。だから、**物質しか見えない**だけなのです。**音は、他次元、多次元と響き合います。**

違う視点から見ると、ここは光一色！

たとえば、**イルカ**とか**コウモリ**といった動物、または未知の存在。彼らから見ると、人間の体は**スケルトン（骨）**に見えたり、**つながって見えたり**するでしょう。主に**オーラの周波数**を見る生物がいたとしたら、二人の人間は、**オーラ的に繋がって、**ベトちゃんドクちゃんのように一人に見えます。

ここは、すでに多次元？

見る視点により、物は全然違うように見えます。それを「**周波数**」と言ったり「**次元**」と言ったりします。この世界は、**３次元**と言われますが、**実際はすでに多次元**なのです。

エーテルの次元には、時空がありません。エーテル次元とは、さきほどお話しした、**顔の鋳型のあるところ。**そこには、**時間も空間もない。時間・空間**の感覚は、全部**脳のつくりごと**なのです。**見方（周波数）を切り替えると、時空が消える**日が来るでしょう！

【ヒーリングウェーブ】は、**エーテル次元**にも働きかける音。**時空のない世界**で働いているから、**空間は関係なくなってしまう。**

時間も**空間**もなければ、残るのは「**周波数**」**だけ**です。

時空のない次元に働きかける！

愛を送る。ある人が、その人の「肉体」が存在する時空で、**別の人**に、愛の周波数を送ろうと決意します。何も**決意**しなければ、自分が愛の周波数になるだけですが、**スピーカーの先に、相手方の名前を書いて、特定の人を思い浮かべます。**

すると、そこには**愛の**「**周波数**」**だけが存在**していて、かつ、**エーテル界というのは場所というものが存在しない**世界。すると、どうなると思いますか？

その**相手と同期**してしまう。すなわち、双方が**共振・共鳴**してしまいます。

実はこの「**共振・共鳴**」という表現は、将来的に言い換えられるかもしれません。

エーテル界では**そもそも離れていません。周波数**は、自分の意識がある「**今ここ**」の一箇所にあります。宇宙は分かれておらず「**相手のいる場所**」と「**ここ**」**は同じものです。**

分かれているというのは、**脳がそう言っているだけ**で、**実際は一箇所**なのです。

「遠隔」という意図！

ただ、**意図だけが必要**です。**どこと同期**したいか「**今ここ**」で決めます。

それが、**書いて**「**遠隔**」**をする、という**「**決意**」。「**時空のない次元**」**に、自分が意識を合わせる**ために書きます。

エーテル界には時空がありませんから【ヒーリングウェーブ】の波動は、**言われた通りに空間を飛んでいきます。**

空間だけでなく、**時間も飛びます。**


相手の名前を書く場合、**同姓同名**の人がいますが、その時は**その人のことを思ってやればよく、**厳密に**住所**などで特定する必要はないかもしれません。

新潟の**中山さん**達が実験したところ、名前だけでなく住所も書いた場合、相手が**自宅にいた時にだけ**しか効果がなく、住所を書かなかったら、その方が**どこにいても**効いたそうです。

もっとも、これは一つのデータなので、普遍的な法則であるのかどうかはこれからですが・・・

「祈り」の地上実現！

凄いのはここです！【ヒーリングウェーブ】は、**現代的な**「**祈り**」としても使えることが分かって来ました。

ヨットハーバーのある**葉山マリーナ**、**逗子マリーナ**。私はその近くで、よく**講演会**をやります。マリーナはとても綺麗なところです。が、**海の水が汚れている**ので、ある時、それを何とかしたい！と思いました。海岸に【ヒーリングウェーブ】を並べよう・・・【ヒーリングウェーブ】には「**愛**」もいいですが「**毒解毒**」とか、「**重金属の排出**」とか、毒を出すためや**浄化の音**がたくさんあります。

ところが、それを実現するには、全部で**二千万円**！

当分**たくあん生活**だな！と焦りました。そこで、クライアントさんが開発した「**遠隔**」を使ってみることにしたのです。

スピーカーの前に「**葉山（逗子）マリーナ**」と書いて音を当てる。これで、実際に効果があると思いますか？**現地の人々に環境意識が高まり、結果として浄化する！**とのメッセージが届いています。この様に、個人の名前でなくても、**地名でもいいんです**。

さらに、**地球儀**を買って、スピーカーの前に置くようにしました。これで**愛の音**が、世界に届いて、地球の**波動を上げる**はずです。全体に共振共鳴する↓**全体が、各パーツの調和を調整**する。全体への愛は、各個人への愛として翻訳されます。

最近、**ニュージーランドとオーストラリア**の森林火災が起きています。**【ヒーリングウェーブ】**のユーザーさんは素晴らしい！　こういうところにも「**遠隔**」で**の祈りをしている人がたくさん！**

葉山マリーナ

新潟講演にて。【ヒーリングウェーブ】を持っているユーザーが6名いました。私たちの講演会中に、その6名が機械（タブレット）を持ち寄ってキーン！（音）とやっていました。

中央に、**福島の3・11で被曝した子供**の写真が。そこに6方向からスピーカーを向けて**首のホルモンの音**を、**愛の音**と一緒に放射していたんです（遠藤さん、西脇さん、村木さんの発案）。

後で写真ができたら、子供達の写真の前に、**虹が出ているんです！** 皆、感動していました。

3.11 で被曝した福島の子供たちへの祈り

金銭の音って変じゃない？

変なタイトルですよね？「**金銭**」。【ヒーリングウェーブ】に入っています。

私もはじめ「こんな高尚な技術なのに、何で金銭なんか入っているの？」と。実は、

「金銭」＝金銭が豊かな人だけが持っている「音」。

ある時、Hさんという**治療家**にかけてあげた。【吉田統合研究所】から帰る途中！　パチスロに寄って**六万円当たったん**です。

Hさんが、これは偶然だったのか確認したい！　ということで、後日またやって来た。「また金銭頼みます？」というので、「しょうがないなあ！」という感じで、また**金銭**の音を。そうしたら、また帰りに、パチスロで**大儲け**したんです！　金銭は、パチスロで！　という話でしょうか？　違いますね。

これを聞いて、これは**使えるんじゃないか？**　とみんな目の色が変わりました。結局今では、愛用者のほとんど**全員が「金銭」の音を使って、**結果を楽しんでいます。

「金銭」について痛快な体験！　以前この研究所でアルバイトをしてくれた女性です。彼女は**離婚**して、元ご主人が**エジプト人**でした。このご主人が**養育費を送ってこない**。いつもピーピー言っていました。

彼女の友達の**増田さん**という女性が**【**ヒーリングウェーブ**】**を買った。「私が**遠隔してあげるよ！**」と言って「**金銭**」を「**遠隔**」で彼女の元ご主人に送ったそうです。

養育費にも効く？

ちょうど！　送り始めて40分たった時、目の前にいた元奥さんの携帯が**ブルブルブルっと！**　何？　と思って開いてみたら、**ドバイ**からでした。「**今、養育費、振り込みました。**」と。もう、**関係者一同、腰を抜かすくらいに驚いた。**冗談みたいですが、本当の話です。

しかも、**後日談**があります。この遠隔をやってあげた**増田さん**は、その後、自分にも【**ヒーリングウェーブ】**の音をズーッ！　とかけていた。「周波数」が変わったはず。その後、どうなったと思いますか？

ちょうど二十日前ですが、**今アラブにいます！**　というメールが入って来ました。**サウジアラビア**に行って、**大統領直々の要請で、何とサウジアラビアの日本人学校の校長に就任した**のです。

「今から大臣に会うんだけど、**縄文スプラッシュ**を手渡していいですか？」と。うちが開発した**水の機械**のこと。「別に構わないよ」と返事をしました。いったい、**人の運命を左右するのでしょうか？**「**周波数**」**は？**

「金銭」は**豊かさの象徴**。この豊かさの周波数に、ただ金銭という名前をつけただけ。元々あるのは**周波数**です。**多くの人はお金に対して非常に根深い不安を持っています**。だから、**「金銭」の音は、とっても有効**だと思われます。

161人に「遠隔」する！

この**「金銭」**の音を**「遠隔」**で**複数人**に流したらどうなるか？　実験した方がいます。

石原さん。フェイスブックの友達に呼びかけました。**統計**を取りたいので**「金銭」**の音を一人**千円**で**「遠隔」**で流す。音を受け取りたい人は申し出てほしい！　と。瞬く間に**一六一人**集まったんです。

一六一人の名前を**小さく書いて**、彼女の家から「金銭」の音を送りました。**縮小コピー**したのかもしれません。縮小は、**効果を減じません。アストラル、エーテル界には、スケール（大きさ）が存在しない**からです。繰り返します。**ここは3次元であると同時に、アストラル、エーテル界**なのです。

一六一人は、**フェイスブック友達**なので、もともと石原さんと**直接の面識はない方**もいます。ですが、千円を払っているので「**音を受け取ります**」**という意思表示**はしていました。

この一六一人から**膨大なデータ**が取れました。**途中経過**でも、興味深い体験が報告されました・・・

ある人は、**会社の金を預かって外出したら全額落としてしまった！**　真っ青になった。大変なことになった！　と会社に戻ったところ、社長が**前日の競馬で大儲けしたという理由で、全額補填してくれた！**　と。

他の人は、**ランチ**だけで**八千円**もする、ある非常に美味しいレストラン。そこの**ディナー券を、二枚タダでもらえた。ランチ**ではなく、**ディナー券**をですよ！　**ドリンク券**までついて来たそうです（笑）。

そういう話ばっかり！　**多数のブログで**報告されていました。

金銭への不安が激減？

実験が終わった後。**石原さん**が、この方達からアンケートをとりました。

「**最初の状態の、金銭に対する不安が10**だと仮定すると、**今はいくつ**になっていますか？」

と。そうしたら、一六一人全員の平均値が、4.8だった。

母集団の人数が多いので、**統計的な意味がある**と思います。明らかに、**不安の度合いが消えた！**

石原さんは**東京から**音を送っていましたが、送られたフェイスブック友達たちは、かなりの**遠方にいた**わけです。だから「**距離は関係ない**」のです！　**目の前にいない人の所にも「周波数」は届いている**のです！

失恋のトラウマが消える？

【ヒーリングウェーブ】の音で、**過去の失恋のトラウマ**を消すことができるでしょうか？

仮に、**めぐみさん**という女性が、**学生時代にトラウマ**があったとします。その場合、紙に「**学生時代のめぐみ**」と書いて、スピーカーから「**愛**」の音を当てます。いったいどうなると思いますか？　終了後、**その時を思い出して、失恋の痛みが軽減するか？　消滅するか？　または思い出しもしないか？**　やってみてください！

【ヒーリングウェーブ】が**過去を変えたのか？**　いかがでしょう？　**過去を文字通りに変**

えることは、実は無いのです。では、どういうことなのか？**別のパラレルワールド（平行宇宙）に飛んでしまった**のです。過去が変わったのではなく、別のパラレルワールドにワープしたのです。

その新しいワールドには、**違う過去があった、**または**そんな事件は無かった、**または**あったがすぐに消えた、**などです。過去が変わるのではありません。**異なる過去を持った、違うパラレルワールドに飛んだ**のです。

あなたの**人生は一本ではありません。**7本でもありません。**無限億万個**です。この宇宙には、人生には、**パラレルワールド、マルチユニバース**と言って、たくさんの**オルタナティブ（代替人生）**があります。どこに？**すぐそこに。そばに。**

今の「周波数」を変えたとたん、**異なる矢印（パラレルワールド）の上**に生きています。それは、**毎瞬間に起きています。「周波数」がまったく変わらないことは不可能で、しょっちゅう変わります。**だから**パラレルは、毎瞬間に移動している**のです。あなたも、**すでにやっている**んですよ！

パラレルワールドは、**宇宙の中に無数に、無限にあって、人生の経験の可能性としては、無数に準備**されています。

「周波数」だけが選択する！

そのうちの**どれを自分が選択するか？**を決めるのは何でしょう？　それは「**周波数**」です。**今ここにいるめぐみさんの「周波数」**が決めます。

周波数が、例えば、とても**鬱っぽくて自己評価が低くなっている時**に選ぶと「そういえば、**昔から私は辛いことばかりだったわ**」みたいな**記憶**になってしまう。

ところが**別の流れの方に飛躍**して、**ワクワクした状態**になっていると、そんなことは**思い出しもしない。「昔から、私ってモテていたっけ！**」という、訳のわからない（笑）**記憶**になったりするわけです。

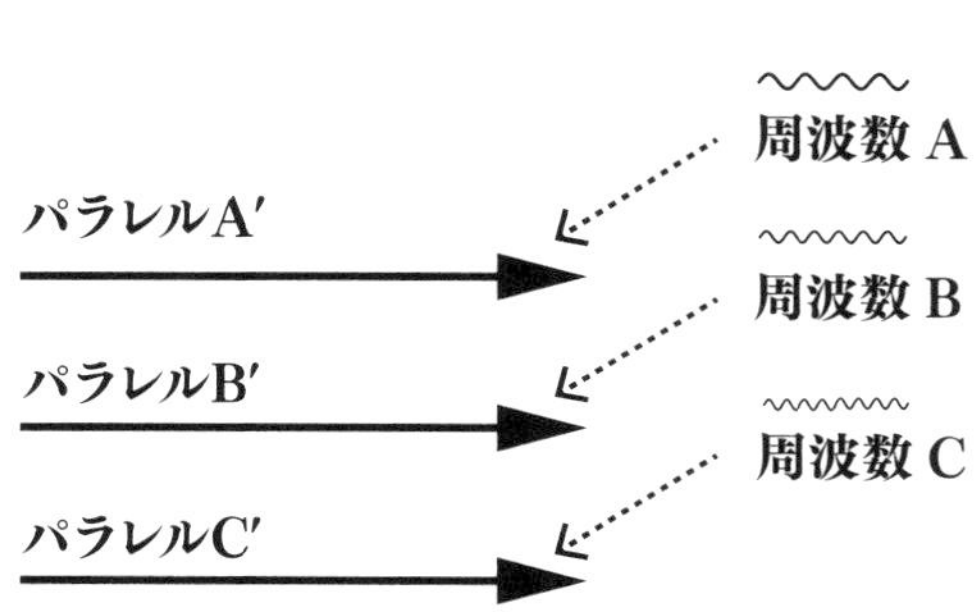

周波数が体験する世界を決める

これは、周波数が変わると、**過去の見方が変わる**という話でしょうか？　いいえ！　**異なるパラレルワールドに飛んだ**のです。事実上、ここは、**違う宇宙になっている**のです。信じられないかもしれませんが、これが**新しい見方**です。

地球人はこれまで、このことにあまり**気づきませんでした**。ですが、**宇宙の進化した星では、みんな知っている**ことです。

スピリチュアルでは、**クォンタム・リープ（量子的飛躍）**と言いますが、**自分の体験する世界を、平行宇宙に移動させることができる**のです。実は、**並行宇宙は、自分の内部な**のですが・・・

「記憶」までも呼び込むのは「周波数」！

それでも、**過去にこんなことがあった**と、めぐみさんが言うことがあります。それは「**記憶」のせい**です。「**記憶」とは一体何でしょうか？**「記憶」は、実は**今の「周波数」が呼び込んだもの。今の「周波数」に合った「記憶」を持ってくる**のです。

今、**トラウマ**がある、**失恋の経験**があるというのは、**今の「周波数」が、その「記憶」をまだ持っている**、ということ。ところが、**【ヒーリングウェーブ】**を使って、周波数を「**愛**」

とか「**幸福**」に変えてしまう。すると、**違うパラレルに飛びます**ので、事実上、その体験は**無くなってしまう**んです。

このように、**過去がいとも簡単に変わる**とすれば、過去というのは、**それほど適当なものだ**（笑）ということではないですか？

本当のことを言えば「**過去**」**など存在しません**。先ほどから**時空が無い**と言っていますが、**時間がない**のだから、過去というものは存在しないのです。

過去も未来も本当は無いのですが、無くても有るように見えるのは「**記憶**」**のせい**なのです。

私たちは、昨日**何があったか、思い出せる**でしょう。**これが問題**なのです。**思い出せるから、人は影響される**のです。しかし、その「**記憶**」**がインチキ**だとしたらどうしますか？

「**記憶**」は必ず**人間について回っています**。が、**幸せ**

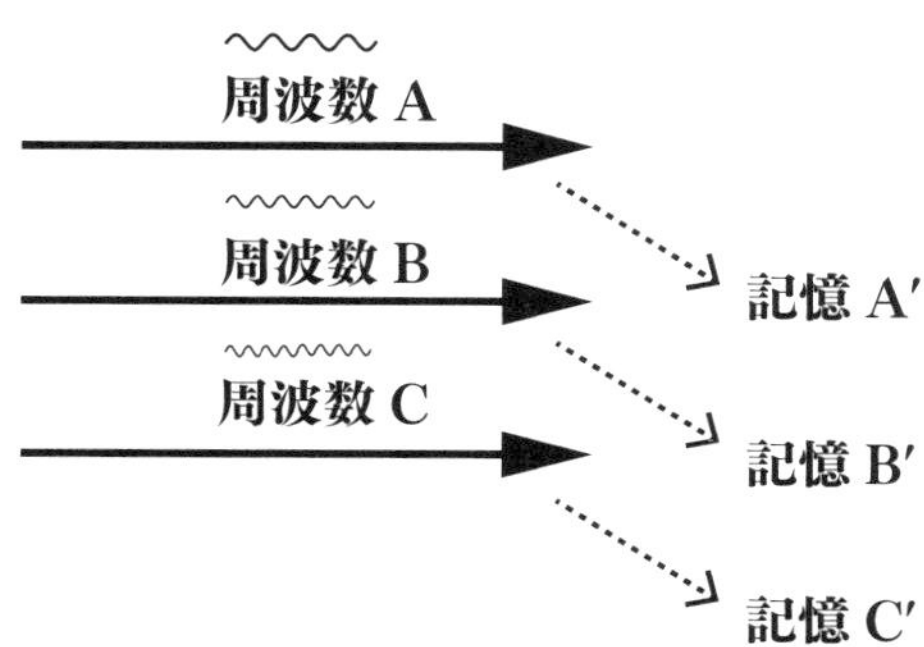

周波数が記憶を呼び込む

な人の特徴として、周波数が上がってくると**「記憶」にはこだわらなくなります。**

すなわち**「今に生きる」**という状態になって、**あまりにも楽しいので「記憶」なんか重要視しない**のです。**未来のことはバカじゃないから考えない。未来に希望を持とうとする**人というのは、**今がよほど空虚**なのかも・・・

過去のことを思い出すというのもそうですが、**未来のことに望みを託す**というのも、**今が良くない**からでしょう？（**未来のビジョン、夢を追いかける**ことで、**今の周波数を上げる**のは、悪くないが）

「過去」の影響力がうすくなる！

ところが、本当の**達人には今しかありません。**今しかない状態の時は、**周波数が高い**ので**「記憶」自体の影響が希薄。執**（とら）**われません。**

これが**人生の達人**なのですが**【ヒーリングウェーブ】**を使っていると、**これが起きやすくなります。**

例えば**愛の音**を、ボーッと**鬱っぽかった時**にかける。そうすると、ここにいた自分が、**愛に満ちた平行宇宙に移ってしまう**ため、**過去にあったと思っていたことが、全然なかっ**

た人生に変わってしまう。

そうすると「**記憶**」**まで変わっているの**で、ついさき程のことも覚えていない。**最初からそんなような人だったような気が**するかも。もう、**過去のことは思い出しもしない**可能性もあります。**自然に忘れてしまう。**全然**人生が違ってしまったように見える**わけです・・

これが**【ヒーリングウェーブ】効果の驚くべき可能性**の一つ。

5　周波数の活用法は無限！

色々な分野の音を自由自在！

ダイエット、メンタル、サロン、腸美容・・・

まず、「**ダイエット**」です。**ダイエットだけで25種類**入っています。

それから「**心理、健康**」という、**心をバランスする音**が入っています。

「メンタル」というコース

ここには**59種類**。**病は気から**という通り、**ほとんどの場合は、これで効果が現れます**。「**必須生命力**」。「**恍惚感、エクスタシー**」「**精神のリラックス**」「**愛の音**」「**幸福感**」「**個人的魅力**」「**勇気**」、これは**勇気が乏しい時**に使う音です。

「**忍耐力**」とか「**アルファー波**」を出したい人。「**デルタ波**」を出したい。「**シータ波**」を出したい。「**警戒心を解除する**」。「**自信**」を持ちたい。「**愉快**」になりたい。

このメンタルのカテゴリーには、**病気の名前**も入っています。「**鬱**」「**性的なインポテンツ**」。**インポテンツは、精神的な問題**だからです。

それから「**ADHD**」、**発達障害**。これは**今大人にも多い**ですね？　こういう音を使ってあげると、**本人も喜びます**。【吉田統合研究所】には、よく発達障害の子が来ます。最近は「**発達し過ぎた生涯**」なんじゃないか？　と思うほど良くなりました。

「**自殺願望**」という音。これは**自殺願望の人が解放される時の音**です。実際臨床の現場で見つけた音。実際に治った、**確実性のある音**だけを残していると思います。

「サロン」というカテゴリー

ここには**数百個**の音が入っています。**女性でも、男性でも、サロンでやってもらいたいと思うこと**が、**すべて網羅**されています。

「**二の腕**」のような、肉体の外側に関わる音だけでなく、**母指関節、股関節、五十肩、頭痛・・・**、全部あります。

カテゴリーを見てみると「**リラクゼーション**」「**むくみ**」「**肩こり**」「**脳トリートメント**」「**女性ホルモン**」「**顎関節**」「**トラブル肌**」「**血管**」「**活力**」「**眼**」「**首**」「**母指関節**」「**ビタミン**」「**股関節**」「**リフトアップ**」「**ヘッドスパ**」「**ダイエット**」「**アンチエイジング**」。

「**アンチエイジング**」だけでも**20種類**の音が。「**二の腕**」だけでも**15種類**。「**ダイエット**」だけでも**25種類**です。

最初はどれを使ったらいいか？　迷うかと思いますが、**気にしなくていいんです。どの音にも、効果が高いベースの音が入っているから**です。

ただ、**特別に自分に合った**音もありますね。**ゲームのように、試行錯誤で楽しみましょう！** **生物の進化**は、**トライアルアンドエラー**（試行錯誤）の**連続**ですから・・・

今日やってみた音は効いたな！と感じたら、それが今の**自分に向いている音**です！

新しい仕事スタイル！

女性が、**サロンに行って受けたい内容**が、すべて上記の「**サロン**」に**入っています。**したがって、**一人でもサロンが展開できる**可能性があります。**店舗を構えず**に、**出張専門**も可能。【ヒーリングウェーブ】は**軽くてモバイル、電源も要らない**からです。

群馬。そこで優秀著名な**整体師、武田さん。**【ヒーリングウェーブ】を導入してから仕事が変わりました。何と**60％のニーズが**「**遠隔**」**に変わった**そうです。**体力も温存**し、**手間も激減**したはずです。

何で世界中で使えるの？

音は**サーバー上**、**クラウド上**に。**手元にはタブレット**だけあればよく、**スピーカーは、厚さ数センチ**で、**タバコのケースくらい**。非常に**小さく軽い**。どこでも**持って歩けます**。**WiFiがなくても**、**SIMカード**で使えます。最近の海外では、**アメリカ**、**フィジー**、**グルジア**、**台湾**、**ベトナム**、**タヒチ**でも使えました。やがて**世界を覆う**でしょう。

【ヒーリングウェーブ】の**世界ビジョン**と**テクノロジー**は、**日本人オリジナル**です！

自分用にできる！カスタマイズ可能

自分専用のメニュー！非常に**簡単な操作**で、作り出せます。わずか**数分で！**音の総合一覧から、**コピペだけでもＯＫ！**「**自分の音**」**シリーズ**ができてしまうと、いつも**そこだけ見ればいい**んですね！

私の場合、「**遠隔**」で一日中送っています。**自分用の音**を作って。今、私は、**研究所や電車内**でこの原稿を書いています。**自宅では、ヒーリングウェーブがキーン！と静かに鳴っています。一日中癒してくれる**のです。**見えないところで温かく思っていてくれる、**

故郷の母親みたいなものですね？　しかも、**癒しの超エキスパート・・・**

メニューの名前は「**一日中**」にしました。

中身は現在3種類あります。私がヒーリングウェーブに、一日中働いて欲しいことは？

「**友人の免疫低下の回復**」「**母親のボケ防止**」そして「**自分の健康**」です。

コピペすれば、**百個**でも**二百個**でも、**五百個**でも、**自分専用の音**を増やすことができます。

この「**一日中**」は「**遠隔**」で使います。送る相手**複数の名前**を、紙に書いて音を当てます。「**結界**」**の枠**は、**一人ずつ**囲います。

生活習慣を変える！

【ヒーリングウェーブ】の**核心的な技術**は？　**マナーズ博士**が発見した**音**（**周波数**）の音源を**高精細のデジタルデータ**に。そして**クラウド環境に保存。**

それまでは、**一台何百万円**もするような機械と一体化していました。**病院に置くタイプ**です。それを、**個人ユーザーが簡単に使えるようなアプリ**にしました！

【ヒーリングウェーブ】の**タブレットには音は入っていません。**もし、ここに音を入れて機械が壊れたら、**高いお金を出して買ったのに一巻の終わり！**しかし、ソフトが**アマゾンのサーバー**に入っているので、**端末が壊れても、何の影響もありません！**

特殊なスピーカー！これが、もう一つの要（かなめ）です。**5種類**の音を同時に出しても、音が**濁らず、拡散しない。**このスピーカーが無ければ、この効率は無かったのです。

マナーズ博士の頃に開発された機械は、一度にたった**一種類**の音しか使えなかった。治療時間が何時間と、とても**長い**ものでした。

確かに、**アトピーが二ヶ月でツルツルになる**という効果も出ています。しかし、**一日数時間**かかるのは、忙しい現代人にとってはどうでしょうか？

日本の天才エンジニアによる**【ヒーリングウェーブ】**！相乗効果がすごく、**3時間↓15分で**同じ効果が出せる。**モバイル**で、どこでも使える、**個人所有**の、**生活習慣化マシーン**なのです！

「個人所有」は、涙物！

ポイントは「**個人所有**」！　**持ち運びできる**ポータブルツール。いつも、**自分がいる所で使える**のがミソです。**イギリス**、**ドイツ**のように、わざわざ**病院に行なかくてＯＫ**！

マナーズ博士の貴重な音を、「**所有して**」いつでも使うことができます。**一生涯の使用権**。

アプリは一生、いくら使ってもタダです。

世界中の人の生活習慣を変える！　このシステムには、可能性があります。

全世界で使えるように、**今5～10カ国語対応**にチャレンジ中。

全人類が、これを使う日が来るでしょうか？

友人の**ＵＦＯ**スピリチュアリスト**松尾みどりさん**に聞きました。**円盤**に搭乗して**他の惑星**に行ったそうです。進んだ星では、どうやって治しているか？　ほとんど、**音で治していた**そうです。

地球上に普及したら？

そうなれば、**健康**と**ＱＯＬ（生活の質）**が**次元上昇する**！　**病気への恐れ**が、無くなる。

そして、体コンディションの元である、**心のバランス**、**安寧**（あんねい）が容易になる！　地球人類は、**心身の完成に向けて**、**大きく後押しされる**でしょう！

世界に広がるヒーリングウェーブ！

目に見えないもので体が良くなる。この原理は真実なので、音で治癒された体験談は、**世界中であります**。

音や、**周波数**、**波動**で変えていく。そんな技術には、**世界中が気づき始めています**。ただ、**マナーズ博士**のように、厳密に、**各臓器の音を一個一個特定**している人はいません。**精神の音**はなおさらです。

マナーズ博士の音を使った技術は他にも存在します。しかし【ヒーリングウェーブ】には、まったく違うところがたくさんあります。

【ヒーリングウェーブ】の特徴は？

①**耳で聞く**のではなく、**マナーズ博士が治療した**のと同じように、**体の各パーツに直**

接当てる。

②**時間の短縮。**一回に一つの音でなく**5つ**まで使え、**相乗効果が凄い。**

③**カテゴリー化**された**分かり易い選択ボード。**

④**自動お任せ機能。**音を、上から**順番に全部当てる**こともできる。

⑤**寝ている間**中も使え、**仕事中**でも**自宅から、自分に飛ばせます。24時間使用**すら可能。

⑥**多くの言語**で使える。やがて、**人類のほとんど**が、その恩恵に浴せる。

⑦**アプリの更新**が**自動的。**朝、目が覚めると、**新しい機能が追加**されていたり。**手間がほとんどかかりません。**

⑧そして「**個人所有**」。**軽くて、モバイル**で、**簡単操作。**

⑨複数の**ドクター**が参加し「**アーユルヴェーダ市民大学**」も主催する【吉田統合研究所】の**統合的な知識**が利用可能。**西洋医学、東洋医学、統合医療、アーユルヴェーダ、電子療法、神聖幾何学、カタカムナ** etc.

マナーズ博士は、大変**おおらかな方**でした。だから、**すべての人類（動植物も）が使える**ようにしたい！ それが【吉田統合研究所】の願いです。世界に普及させるために、**多言語化**も進めています。

元々、この技術を発明したのは**イギリス人**なのに、なぜ**日本で広がっているの**か？素晴らしい**天才的な発案者、エンジニア。世界中で使える形式**にしようと思ったのは日本人なのです！心より感謝しています！

「変革」というキーワード　日本という「統合」

「**遠隔**」に代表されるように、**時空を超える**使い方も、日本人の気質に合っています。日本人は、**先進的**なのです。

「**変革**」という**キーワード**。それを持つ**マナーズ博士の音**。「**変革**」「**統合**」の**エキスパート**は？**日本人**。日本人には、それを世界に広げる**好奇心、パッションと底力、大和魂**があるのです！

究極のヒーリング。音を使ったテクノロジーはいつか実現する！と思っていましたが、未来世界を描いたＳＦ小説の様に、**百年先**の話だと思っていました。**令和の時代**に、これほどのものが出せるとは思わなかったのです。

「周波数」の共鳴！ マナーズ博士と【吉田統合研究所】

マナーズ博士という一人の天才が、**九三年間**の生涯をかけて、驚異的な音響技術を残しました。しかし、それだけでは世の中に広がりません。**無限のエネルギーと可能性を信じる**「周波数」。**最高の喜びと楽しみの中で、無限応用を宇宙化してゆく**「周波数」。それらが必要です。

チェルノブイリの頃から「**完全自由**」「**完全解放**」を、ウクライナはじめ、世界に発信。**【吉田統合研究所】**のことです。

「**すべてを元にもどす**」「**ありのままで完璧**」を、世界各地に発信して来ました。その「**周波数**」**が共振共鳴**したものは？ **マナーズ博士のテクノロジー**。これが現在、日々起きている奇跡の発展、**シンクロニシティー（共時性）**、**セレンデュピティー（幸運な連続による幸せ化）**を生み出したのでしょう！

吉田統合研究所のロゴマーク

【吉田統合研究所】に、わずか**一年の間。どれほどの体験談が集まったことか？まさか！**と思わず叫んでしまうことも、多かったのです。

治す、変える、でなく「元にもどす」。**【ヒーリングウェーブ】**。病気の元は「**心**」。**元にもどす**、とは、**心も初期設定**にもどす。症状対応の音を使っている。なのに「**心**」が**安らか**になる。

するとは**人生が変わる**。すると**世界が変わる**。すると**アセンションが起きる**。

最後にはどうなるのか？「**ありのままで完璧**」になっている。それは、まさに**元にもどった状態**なのです。

第2部

私たちは何者か？

地球アセンションへの基礎知識

1　愛＝ありのままで完璧＝自由！

愛の波動とは、何でしょうか？ それは「**ありのままで完璧**」という状態です。**【ヒーリングウェーブ】の最終目的**は、これです。

子供が、学校の入り口で**頭をぶつけた**とします。これは**良くないことか？**と言えば、**良いこと**になります。すなわち、その場所では注意するようになり、**二度とぶつけません。**注意しなければ、**大きなケガを負う**からです。

インフルエンザで**熱**が出ますね？ それは、悪いことですか？ **熱**のために、**免疫が存分に働ける**状態であり、今まで**たまっていた毒素が排出**されます。**良いこと**です。

詐欺のおじさんに金をとられました。**悪いこと**ですか？ しばらくきつかったですが、今はまず、**騙されることがなくなりました。**ぼろ儲けしたいという**スケベ根性も、無くなりました。**私のことです。

若いころの「**失敗**」。**チェルノブイリ**のガキンチョたち。可愛いので、百人くらい日本に招聘しました。**数千万の借金**ができました。毎月27日に、一五〇万円払うのは大変でした。**良くないこと**ですか？今は、**赤字にならないプロジェクト**が出来るようになっています。

若い女性が、ガンになりました。**痛くて、人前で倒れていました。**あまりにつらいので、**心を変えました。末期がん**は、ある日、**消えていました。**まるっきり**別人の様**になっていました。ガンは、**よくないことですか？**

違う方は、**ガンで死にました。良くないことですか？**亡くなった途端、告別式で、上空から息子のスピーチを見ていました。意識があるということは、**死んでいませんね？**

ガンは、一度やってみたかった！ということを思い出しました。実に**たくさんの恩恵がありました**から。**子供たちとは、親密になり、いっぱいの愛情を受けました。自分に愛が足りなかったから**です。**愛がわかり、痛みの中でも平安でいられるスペースが見つかった**のです。その経験は、**宇宙全体を潤しました。**各人間は、**全宇宙と全方向的につながっています。一の経験は、無限大に影響**します。ガンは、**悪かったですか？**

核戦争で、**愛する母なる星を滅ぼしてしまいました。**今は、その**危険がある星**（例えば**地球**）を見つけると、飛んでいきます。**滅びない様に、手を尽くします。**おかげで**宇宙が光に満ちている**のです！自分の星を滅ぼしたのは、**悪いことですか？**

自分が**亡くなった途端**、それは**ホログラムだった**と気づきます。ツタヤで貸しているDVDと同じなのです。**DVD**の中に**のめりこんでいた**ので、**シリアス**だっただけです。実際の**あなたには、起きていません**でした。

宇宙全体から見る習慣をつけましょう！**悪いことって、本当にあるのでしょうか？**「悪いこと」がある時は「その**背後にある光を見てくれ！**」というのが、宇宙からのメッセージです。それは、必ず**良いことのために生まれていると・・・**

今、「**ありのままに見る**」と打とうと思ったら、「**愛のママで見る**」と打っちゃいました！こういう**シャレ**を楽しんでいるのが、**宇宙**なんですね！**愛のママのように見て！**愛のママって、**神様、宇宙神、この宇宙を創った人、**Something Great、**プルシャ（原初の光）の視点**から見て！・・・

エゴって何なの？

スピリチュアルのマスターは、人間の**エゴイズム**が**苦しい感情の原因**を作っているので、自分の**心の中にエゴイズムの種を探して捨てなさい**と教えます。

エゴイズムと**エゴ**という言葉が似ているので、混同しがちですね？

エゴイズムは、**魅力的**ではありません。**エゴイズム**とエゴという言葉が似ているので、

エゴは、**必ず必要**なものです。大いなる光、**プルシャが**、**肉体世界に入って楽しむ**ために、**次元のつなぎ**として、**人格**があるかのように創造しました。人間が**高次元に進化して**も、**エゴは存在**します。ただ、あの人に**お花を持って行ってあげよう！**みたいなエゴです。

エゴをやっつけようと思う必要はありません。**エゴは**、**愛するために存在**しています。

可愛い子供のように・・・

エゴをダキマイラセル？

エゴを、ダキマイラセル。エゴと仲良くし、手なずけるのがいい方策です。エゴは、**子**

供と同じ。

私が、**小学生**を教えていた時。**授業を聞かない子**に、**お前ダメだぞ！**って言います。その子は、その後**ズーッ！と話を聞きません**。次回尋ねました。「アメリカの首都、知ってるか？」。「ワシントンでーす！」とその子。「えらい！」と私。その後の時間、**ずーっ！と一生懸命勉強しました**。

エゴは、**ダメだ！と言われたら、無くなることが無い**のです。**元気**になっちゃいます(笑)。

ダキマイラセル。認めてしまうのです。大いなるすべて、**プルシャは、本当のあなた**です。プルシャは、**様々な経験**をするために、**ありとあらゆるアバター、キグルミ、マトリックス**を作りました。宇宙中、**どれにでもなれる**のです。

プルシャって誰？

宇宙が始まる前から存在していた、**原初の光**＝**プルシャ**。**プル**＝「**はじめ**」。**シャ**＝「**光**」。

いまだに、彼（彼女）しかいないと言われる。**本当のあなた**のこと。

あなたとプルシャは同じ人です。プルシャが、**あなたに自由を与え、自由にさせているのでしょうか？**いいえ！**あなたに入って、自由にふるまっているの**がプルシャです。あなたが、羽生君は**綺麗！**テリーヌは**美味しい！**カシミヤは**ソフトだ！**こう感じているのは、肉体ですか？魂ですか？**魂に入っているのが、プルシャ**なのです。**プルシャが、感じること、体験すること、生きること**なのです。**肉体には、不可能**です。

あなたの**エゴは、作られました。誰に？プルシャに。**一人一人の**エゴがどう感じるか？プルシャは、よ〜く知っています。**

五大元素の戯れ！

エゴが**どういう経験をするか？アーユルヴェーダ**が教えています。その**肉体の中の五大元素**が、決めている。**宇宙も五大元素でできている。**体内の**五大元素の配合が、一人ずつ違う。ピッタ、カパ、ヴァータ**と言うんですが、そのバランスが違う。世界（宇宙）から人体に入ってくる**食べ物**が、**五大元素**でできているので、その**バランスを変える。**すると、**健康と病気**が、**精神安定と心配、不安**が出てくる。

すべてが、**五大元素の戯れ**なのです。五大元素を提供するのは？**食べ物。**すなわち、

食べ物の都合で、想念、感情、健康度合、出来事の質まで決まってしまうのです。**エゴは、それに従ってるだけの、結果**です。**主体ではない**のです。

エゴは、いったい何やってるの？

今の結論は？ 肉体は、エゴは、あなたの**人格は、初期設定された端末**。パソコンみたいなもの。**誕生**の時点で、**ピッタ、カパ、ヴァータのバランス**が決まり、**DNA**が決まり、使用する**カルマ**が決まります。初期設定は、誰がやっていますか？ **プルシャ**（Something Great）です。

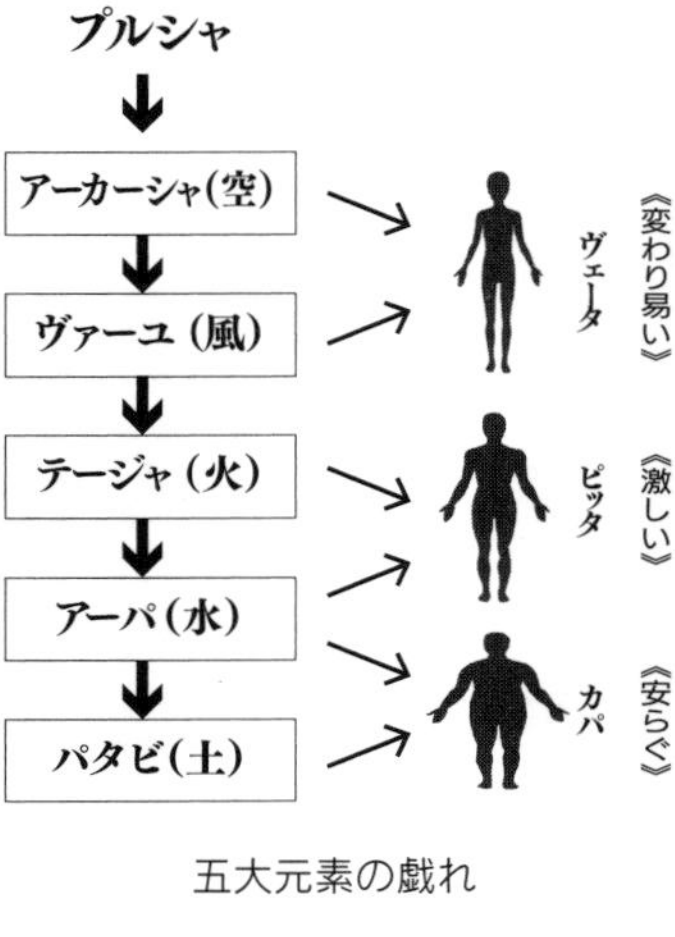

プルシャ
↓
アーカーシャ(空)
↓
ヴァーユ(風)
↓
テージャ(火)
↓
アーパ(水)
↓
パタビ(土)

ヴェータ《変わり易い》
ピッタ《激しい》
カパ《安らぐ》

五大元素の戯れ

一方、あなたに入ってくる**インプット**は？ **出来事、刺激**は？ 誰が提供していると思いますか？ **プルシャ**です。その結果、**想念、感情**があらわれます。が、それは、**あなたという端末の初期設定**に従って、**喜び、不安、悲しみ、怒り**と、出てくるものが、**あらかじめ決まっているの**です。

エゴが感じることは、すべて**初期設定の結果**、プラス、**インプットされる出来事**、**刺激**の結果。すなわちコントロール不能**！**　エゴ側では、なんもコントロールできません。だから、エゴは、そのままで良いのです。それを、**オメーが悪いんだよ〜！**　とやってきたわけですね？　すると、エゴは、**直さなきゃ！　変えなきゃ！**　と思います。でも、エゴって何でしょうか？　**直す、変える、模索**、あがきのことなんです。だから、**永久になくなりません！**

何で地球を創ったのか？

大いなるすべて、プルシャは、本当の**あなた**です。が、とっても興味深い人です。**無限、完全、至福、大調和**そのものです。しかも**オールマイティー**です。思ったことは、**即座に瞬時に、何の苦労もなく**実現します。でも、ちっとも面白くないんです。

そこで、**地球**を創りました。地球では、思ったことがかなり**実現しません**。何でも遅く、いくらでも**落ち込める**し、**罪悪感**や**無価値観**は感じ放題。時間制限はありますが、**感じ放題二〇〇〇円**って感じ！　**潜水服を着て、海中を泳いでいる**みたい。

インドで、神様**ラム**となった有名な**ラムサ**。二万五千年くらい前の聖者。彼はありとあらゆる**天界**を経験しました。その中で、最も**荘厳で深い喜び**があったのは？　この**地上という天界**だった！　と言っているのです。この**拘束され、制限された**独特の世界。ここが最も喜びが深かった、と。

地球は、進化の結果！

地球が進化して、高次元に達するんだ！　と思っていませんか？　あちらから見ると、**地球が「進化の結果」**。オールマイティーであるプルシャから見たら、地球の様な、密度が濃く、**考えも及ばない程アドベンチャーな世界**が構築できたのは、「**進化**」なのです。

結論！　進化が無い、だけではなく、**良し悪しが無い**のです。**上下、レベル、デジタル思考**も無い。したがって、地上で、**間違った出来事、行為もない**。なぜですか？

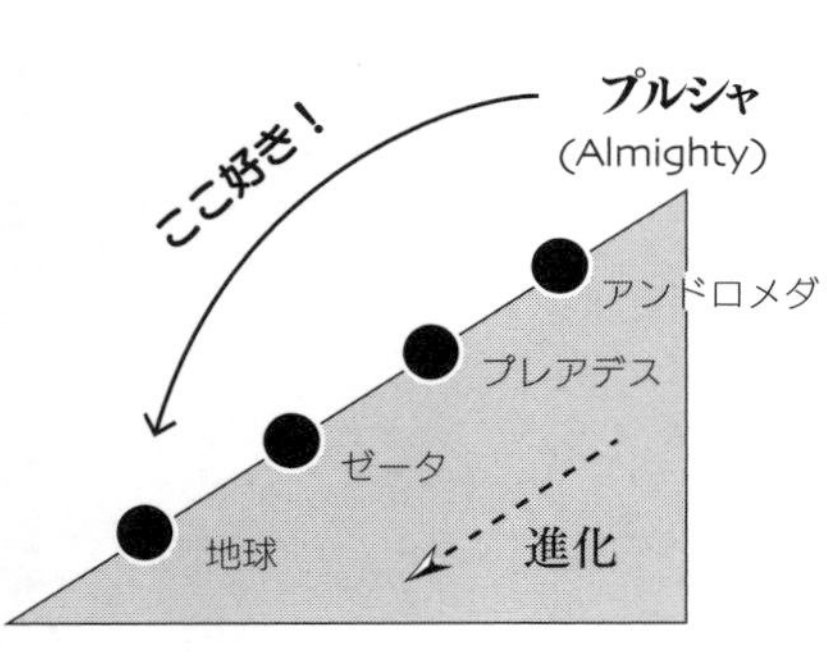

プルシャの冒険

本当のあなたであるプ**ルシャ**。この人が、**経験したいことしか、起きていない**から。各人の**初期設定**をしているのは？　**プルシャ**。**出来事や刺激をインプット**して来るのは？　**プルシャ**。プルシャの、**一人芝居**。**エゴ君**も、プルシャが経験したいことを、経験したいように働いている、**元気な子供**！

何の問題もない宇宙！

全て、プルシャが起こしているなら、**間違い**はありますか？　**あり得ません。間違いは、不可能です**。これに、とことん気づいたら？　**エゴ事件、エゴ問題の根源**がなくなります。

起きているすべてが、**それでいい**。**ありのままで**、完璧！　もし、**変えたく**なったら？**それも完璧。プルシャ**が経験したいこと以外は、**何も起きません**。起きていることは？**①出来事、②想念、感情　③固定観念**、すべてが**OK**なのです。すなわち、**起きてくる一切のことには、未来永劫、気を使わなくていい**のです。

お疲れ様でした〜！　解散です・・・

2　愛の音でつくられた地球

万能の音がある!

【ヒーリングウェーブ】の中には、「**万能の音源**」がいくつかあります。最も重要な一つが**528ヘルツ**。宇宙から地球に来るエネルギーは、大半が**太陽から来る**んです。

そもそも太陽というのは、**カタカムナ**で意味を解析すると、タは「**分かれる**」。イは「**伝わる**」。ヨは「**陽**（神、高次元のエネルギー）、**神のエネルギー**」のこと。ウは「**生まれる**」。つまり「**分かれて伝わった神のエネルギーが生まれる（ところ）**」という意味です。

宇宙根源のエネルギー。それをディストリビュート（**分配**）しているのかも。太陽からのエネルギーは全宇宙に飛んでいて、平たく言うと、**浪費**しています。**エントロピー**になっている。広がる一方で、**収束しない**から・・・

それで、宇宙は、**地球**に、その**エネルギーを定着**させようとしました。何を考えたのでしょうか？　生命を、**一億五千万キロメートル**、この太陽から離しました。生命が**放射能**で死んでしまうから。そこで、**地球**という星が選ばれた、または創られました。そしてここに、最初に準備されたものが、**葉緑素**、クロロフィル。葉緑素というものが可能にしました。

太陽エネルギーを固定する葉緑素！

葉緑素はこの**太陽エネルギー**を背負って、これをなんと、**炭水化物**に変えます。これが地球における、**太陽のエネルギーの貯金**となった。それまでは、太陽のエネルギーは、地球生命に何の恩恵も与えなかったが。この葉緑素が、**植物**の中に入っています。

これを、今度は**豚**とか**牛**とかが食べに来ますね。食べて彼らの**血肉**になります。だから、彼らの血肉は、**葉緑素の変容**。

血とカタラーゼの活躍!

そして次は**人間**。食べた**野菜**や**肉**が体に入る。**小腸**が吸収します。新しい学説では、血は**腸で作られている**というでしょう? まあ、**小腸**と**骨髄**と両方かもしれませんが、ここで突然**血**に変わります。**動物で一番重要な血**というものに変わる。腸の中にいた時は**葉緑素**ですから、**緑色**。それがこの壁を通った途端、**赤くなってしまう!** これって不思議ですよね?

そして、最後にこの血が、**体中の細胞**になります。全身の**臓器**は細胞で、**血でできていないものは一個もありません**。全部血です。だから、血液がしっかりしている人は、**糖尿病**にもならなければ、あらゆる病気にならない。このように、血が細胞になりました。

さて、**エネルギー**を作らなければ、人体は生きていけませんから、この中でエネルギーを毎日こしらえています。

この不可欠なエネルギーは、**ATP**、**アデノシン三リン酸**。これを作るためには、必ず**不純物**が出ます。**過酸化水素**（H^2O^2）ですが、これが**ドラマの始まり**。これが炎症を起こします。炎症っていうのは何か? まさに燃えているんですね。**慢性病**というのは、すべて**炎症**です。その代表選手が、ガン（森下学説参照）。

老化とガンの原因は同じ？

もう一つ、みんなが好きじゃない**老化**。これが一体何で起こるのか？というのを、**東京大学**が、数年前に発表しました。老化の原因は「**慢性炎症**」。ずっと炎症が続くことによって起きます。これが、**老化の原因**。

すると、見てみて下さい！炎症は**過酸化水素**（H_2O_2）が起こしているんでしょ？したがって、**老化とガンはルーツが同じ**。過酸化水素。これが暴れている人が、**老化も早いしガンにもなる**。

すると、**老化**は絶対に**避けられない**！毎日エネルギーを作っていれば、**老廃物は必ず出る**から。このままだと、人間は**早く死んでしまう**！そこで、宇宙が作った切り札は？**カタラーゼ**。この**正義の味方**を生みました。この**酵素**は、**炎症を消して回る**んです。火付盗賊改（ひっけとうぞくあらため）みたいなもの。このカタラーゼ君がいるために、我々は**長生きできる**。**病気にもならない**、というわけですね！国に保険料を払うより、カタラーゼに払った方が良いかもしれません。

神聖幾何学の登場！

さて、**ここからが面白い！** 実は、これを調べて驚いたのは、この一連の、**太陽エネルギーを物質世界へ固定**する仕事の立役者。まず**クロロフィル、葉緑素**。次に**赤血球が動物を生かす**。そして**カタラーゼ**なんだけれど・・・

何と、**葉緑素**を顕微鏡で見たら、**神聖幾何学**で出来ているの。正方形が、二つずれて重なった様な・・・聖なる形。

生命の形を作り上げる、目に見えないマトリックス（鋳型）とは？

この形を持つ高分子化合物の名は？ **ホルフィリン。**

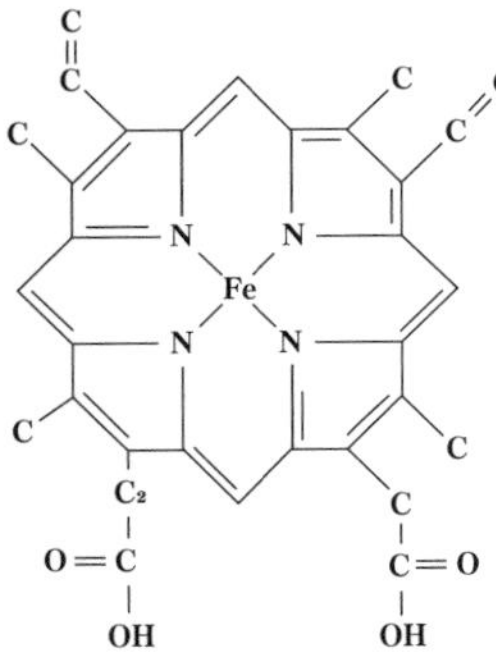

ヘム（ヘモグロビンの酸素を運ぶ部分）

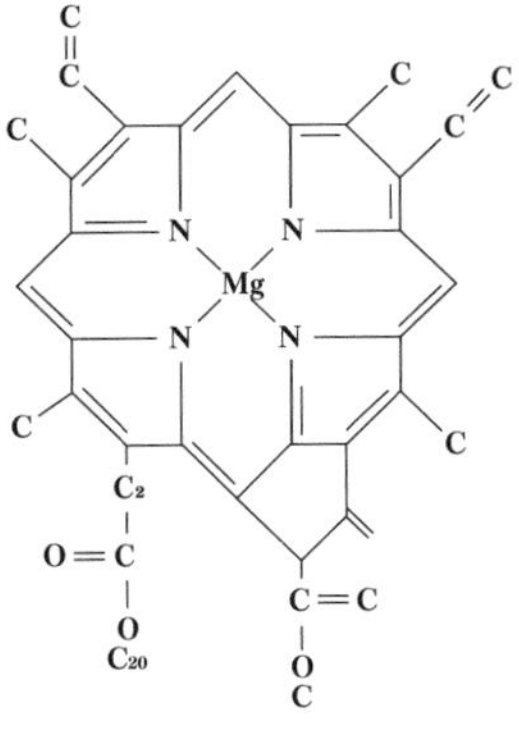

クロロフィル

真ん中にMg（マグネシウム）があって、周囲は**滅多にありえない様な神聖幾何学**の形。

さらに驚いたのは？ 赤血球の**ヘモグロビン**を顕微鏡で見ると、**同じ形の神聖幾何学**だったんです！ **ホルフィリン**。Mg（マグネシウム）がFe（鉄）に変わっていただけ。あとは**そっくり！**

そして、**カタラーゼ**を見て**興奮**が高まります！ やはり**ホルフィリン**だったのです！ 真ん中が鉄だっていうところまでそっくり。**かなり複雑な構造式**なのに、全部**同じ形**だった！ ということは、ここで何が分かったのか？

ホルフィリン図形の生命創造！

ああ、**みんな同じでよかったね！** じゃなくて、**ホル**

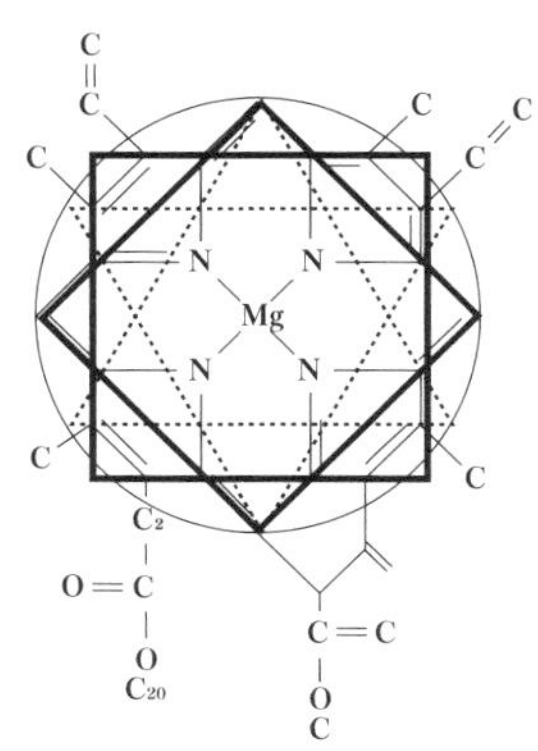

ホルフィリン図形

フィリンって、いったい誰？ まず**太陽のエネルギーを地球に固定**するという凄い仕事をやった。これがなかったら、**地球に太陽エネルギーは働かない。何にも恩恵がない。**これが、**植物を作った**と言ってもいいでしょう！

次に、**植物が食べられる**ことによって、われわれの体内で**血に変わります。**これは、**動物を生かす**という意味。それは、同じ存在がやっている。**植物生かすもホルフィリン。動物生かすもホルフィリン。**そして、動物も植物も、このままだと**早く死んでしまう。**あの**過酸化水素**のせいで。**エネルギー生産したら、必ず出る**から。それを、**消し止める小さなウルトラマンがカタラーゼ。**同じ**ホルフィリン**です。

ということは、**宇宙エネルギーを地球に固定**させ、**植物と動物を作り上げ**、それが**ずっと生きるようにしている**のは、**全部同じ、ホルフィリン**だ！　ということ。

愛と消炎の528ヘルツ！

さらに驚いたのは、この**周波数**を調べたんです！　周波数というのは、**ものの固有の振動数**のこと。その物質が持っている「**音**」といってもいい。

葉緑素の周波数は528ヘルツでした。じゃあ、**赤血球は？**と調べると？何とまた**528ヘルツ**！じゃ、**カタラーゼ**は？・・まだ調べていないけれど、**構造が同じ**なので、おそらく**同じ！**

実は、**地球人の体の基本をクリエートした**時に、**528ヘルツをベースにした**という情報が来ている。**シリウス人**が関係している、と。

528ヘルツが切り札である。これは、**二千年以上前から分かっていた。**当時は計測器がないので、違う表現をしていたけれど、現代は、数値で測れるようになった。測ると**528ヘルツ**になる・・・

宇宙には音しかない！

例えば、昨夜飲みすぎたうちのスタッフの野田さんのような人の場合、普通は**肝臓**が悪くなるでしょ？（野田さんはならない）。で、**ウコン**を食べると良くなりますよね？それはなぜか？**肝臓の持っている固有振動数、正常な時の音と、ウコンの音が同じ**だからです。

だから、昨日は仮に一〇〇〇だったのが、今日は飲みすぎて一〇一三になっているとすると、ウコンは一〇〇〇なので、ウコンが体に入ることで、**共振共鳴の原理で元にもどってしまう。**それで治るわけですね。

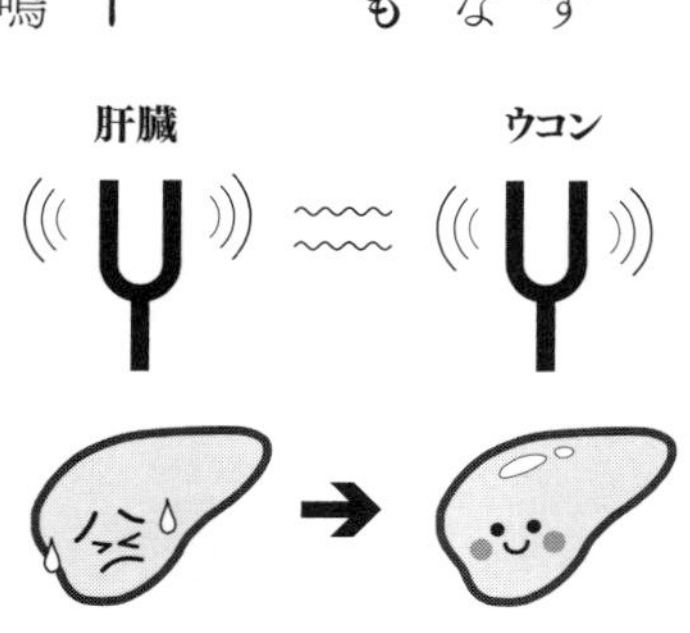

共振・共鳴の原理

各ハーブが全部そういう音を持っています。**地上のハーブの、おそらくすべてが、人体パーツのどれかと共振**共鳴します。**アーユルヴェーダ**では、**ゴータマ・シッダールタ**の主治医**ジーバカ**も、これを若くして悟った、と伝えています。

これを見て、一体何がわかったか？　**葉緑素と赤血球の周波数が、いずれも528ヘルツ**だったということです。これ、**生命体を作成する大元に528ヘルツが働いている！**少なくとも地球近辺では**・・・528ヘルツ**というのが、何がしか関係して、この**宇宙、地球、生命の構造を産んだ**のではないか？　という仮説が立ちますね。

宇宙には、あなた以外に誰もいない！

ヨハネというのは、**48音（ヨハネ）**という意味。**はじめにコトバありき**（ヨハネ福音書）、というのは、**宇宙の根源**にはこれがあった。この48音は、おそらく**日本語**、**カタカムナ**の可能性があります。**日本は48音**です。ヒフミヨイムナヤマワリテムルムラヤコトって書いてあるのね。

カタカムナっていうのは、**渦巻き文字**で書いてあるでしょう。カタカムナから浮かび上がってくるのは、古神道で昔から言っている「**創造の御柱**（みはしら）」という形。**宇宙を創り出す**二つの三角を表している。下の△が**カム**、上の▽が**カタ**、中央の部分が**ナ**っていう**核**。**核から宇宙が、言霊によって創造**されます（吉野信子さんの著作参照）。

創造は、**できたり、壊したりしている**。宇宙は、**点いたり消えたりし**ている。**言霊**がここ（**中央の核＝ゼロポイント**）から発射するので、それによってできた宇宙が、

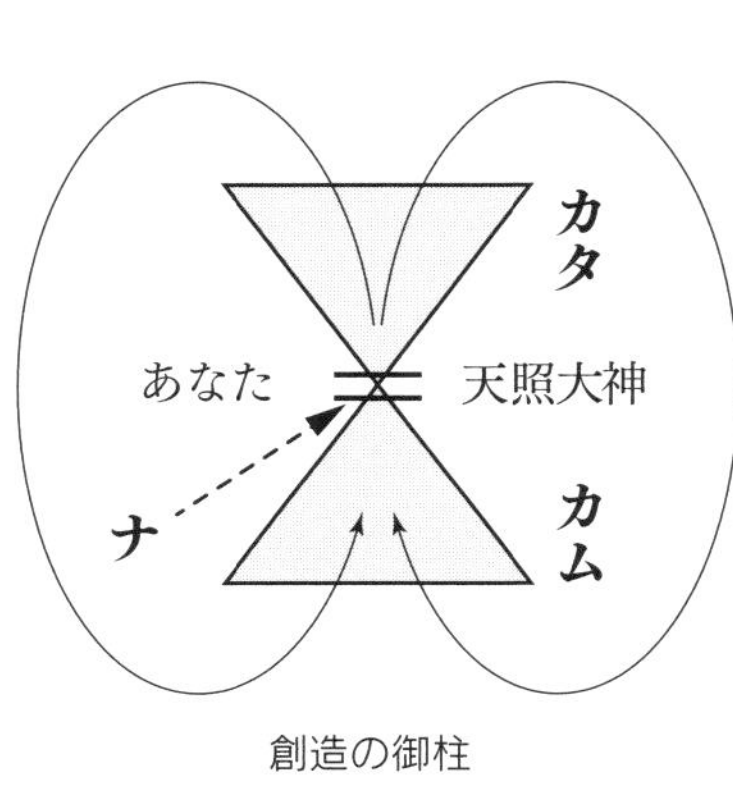

創造の御柱

トーラス状に動き、**瞬間で収束**していって、また**ゼロに戻る。**ここ（ゼロポイント）のところから現象化している。言わば、これが**創造原理。**だから、ここ（ゼロポイント）は創造の**子宮。**

これが「**聖杯**」の意味するところです。**イエス・キリスト**以前から、この概念はあったでしょう。ここで産まれた意図が、個人の**意思**が、**言霊**として現れる。**宇宙を創り出します。**

ここ（ゼロポイント）に存在しているのは**天照大神。**天照大神というのは、友人の**吉野信子さん**が言っている通り「**あなた**」のこと。だから、**宇宙を創っているのはあなた！**っていう意味。つまり、**宇宙には、あなた以外誰もいない！**ということです。**全宇宙は自分**だ！と。

カタカムナはタイムカプセル！

「**ヨハネ福音書**」では最初に言（コトバ）があった、それが、**オーム**という音だと解釈する人もいるけど、**48音**というのは、言（コトバ）のこと。これは**元素記号**のような文字で書いているけど、**一万五千年**以上前に、当時地球に**アシア族、カタカムナ人**がいたんです。一万五千年前というと縄文時代だから。**縄文初期**に作ったの。

地球人が作ったものではない。**アンドロメダ人**が作ったもので、**一万五千年**を経て、今、ひも解けるように、**タイムカプセル**になっていた。今までは誰も解けなかった。「**周波数**」**のレヴェル**が満ちていなかったから・・・。

このようにして、**言霊**（ことだま）**が宇宙を創っている**んです。で、この言霊というのは「**音**」と見てもいいと思います。**言霊と数霊**（かずたま）**と形霊**（かただま）。形霊というのは**神聖幾何学**。言霊は**音**。それから**色霊**（いろだま）というのは**色**に変わるんですね、**周波数**が。**数霊**というのは、全部**数値化**できます。「**吉田統合研究所**」のゴール「**全て元にもどす**」。それは、**この次元に、すべてを還元すること**なのです。

元々一つの生命しか無い？

少なくとも、**５２８ヘルツは生命体現象を司っている**ということですね。と言うよりむしろ、**５２８ヘルツを一つの生命エネルギー**、または「**意思**」と見たほうがいいかもしれません。それが**もともと宇宙にあった**。少なくとも、**地球近辺**にこのようなことを起こそうとしたんでしょう。

だから、**５２８ヘルツの意図**が働いて、**ホルフィリン**ができた。そのおかげで地球に**植**

物が繁栄でき、**太陽エネルギーを貯金**できるようになった。地球という**星自体**が。それで**動物**もこうやってでき、**カタラーゼ**君のおかげで、**生き永らえさせる**こともできた。**全部この周波数がやっている。最初から終わりまで・・・**

生命あるもの、多くの生命体の奥に、この**528ヘルツ**がある。**太陽系**だけでなく、おそらく**もっと宇宙的**でしょう。

この地球近辺の生命体を育んでいる、**528ヘルツ**というのは、実を言うと、**誰かを愛した時の、あの何とも言えない感情**、あれなんですよ・・・

プルシャ
528Hz
植物
動物
酵素

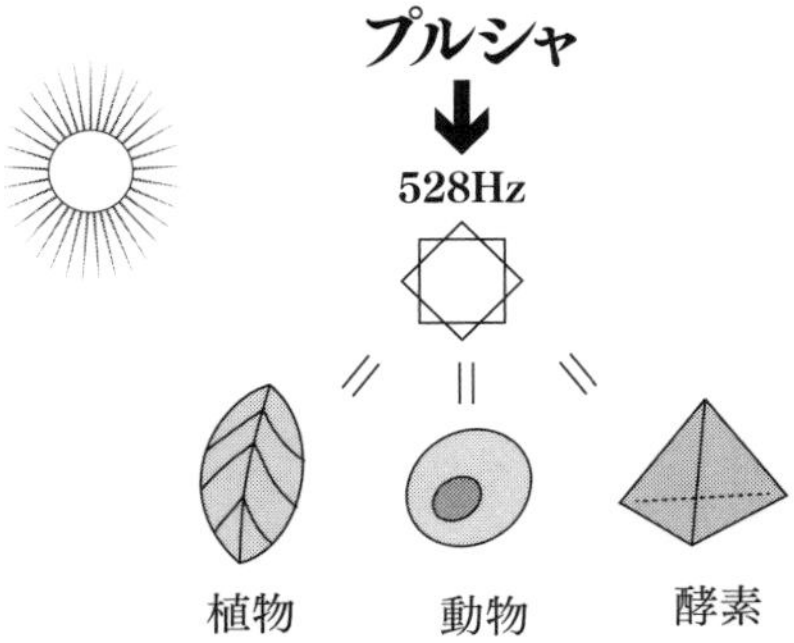

528 ヘルツの意図が万物に浸透している

今、人間が「**愛**」と呼んでいるような、**永遠の存在状態**が、最初にあったわけです。その存在状態が、いろいろな形として**周波数を生み出しました。528**ヘルツだけじゃない、**432**ヘルツもあれば、**444**ヘルツもある。その中でも一つ、**究極的な、万能に近いもの**の一つとして、528ヘルツがある・・・。

自然界は「愛の音」で作られている？

この周波数は**【ヒーリングウェーブ】**の中では「**ＤＮＡ再生**」という名前で収納されています。なぜそういう名前なのか？　**ＤＮＡの二重らせん**。その縦横の寸法が、ちょうどこの**５２８ヘルツで共振・共鳴**するようにできているから。ということは、この５２８ヘルツを体に当てると、**全身のＤＮＡが愛の波動で震える！**　だから、**万能**だということ。**ミュータント（突然変異→進化→神化）**を促進する可能性もあります。

【ヒーリングウェーブ】に一二〇〇の音がある中で、**どの音を使ったらいいいか？　分からない時は**「**ＤＮＡ再生**」**のこの５２８ヘルツ**を使いましょう！　だって、ＤＮＡがない体の部分はないから。**全部に共振**するから。それで、体が**修正**したり、**進化**したりするんですよ。凄いでしょ！　それが**愛の波動**だ、と言っているわけ。**人を愛した時の波動**でしょ？

ちなみに、**オーム**の音は**４３２**ヘルツだと言われています。先日の講演会で、**オーム**は**鳥**だと思っていた方がありました。鳥でも良いんですが（笑）、**宇宙開闢**（かいびゃく）に鳴っていた**音**のことです。

ライアーという楽器を知っていますか？　竪琴の様なあの楽器は、ラの音を４３２ヘルツで調律しています。

528ヘルツは、**サントゥール**という楽器。友人に**宮下さん**という大名人がいますが、インドの、鉄琴みたいな、カンカンカンカンという音がするやつ。**天に突き抜けて共鳴する**音・・・

サントゥール

音が見えるようになったものが物質？

宇宙ができた時どうだったのか？　**始めに言葉ありき**なんだけど、**今でも、言葉ありき。ズーッと言葉しかない**いんだよね。この宇宙って。音しか存在しない。**物質に見えるって**いうだけの話で・・・。

イルカとか、違う生物からしたら、**我々って音**かもしれない。ただ、音がこのように座っているように見えるかも。人間の耳は遠すぎて、**2万ヘルツ**までしか聞き取れない。このため、人間は**音として分からない**。**音が出てない**と思っています。

イルカは**十五万ヘルツ**まで聞こえます。彼らは、ありとあらゆる音を聞いているでしょう。この**机**とか、**コップ**とか、**全部音を出しています**。あらゆる音が聞こえたら、**すべての物**が出しているんだ！と普通に分かるでしょう。もし、イルカが歳を取って人間のように**二万ヘルツ**しか聞こえなくなったら、**お年寄り**と言われちゃうかもね(笑)・・・

音が作るすべての鋳型、原型エーテル！

次のページの上の写真は何でしょうか？**亀の甲羅**だけど、**六角形**の形をしているでしょ？**六角形**というのは、**水**にも関係していて、**宇宙の究極の形**の一つ。

下も**亀の甲羅**のような形だけど、こちらは鉄板に**太田胃散**（笑）を撒いて、**音を鳴らした振動**でできたもの。実際の亀に近いのがこの一〇**八八**へ

イルカ

ルツ。（増川博士の著作参照）

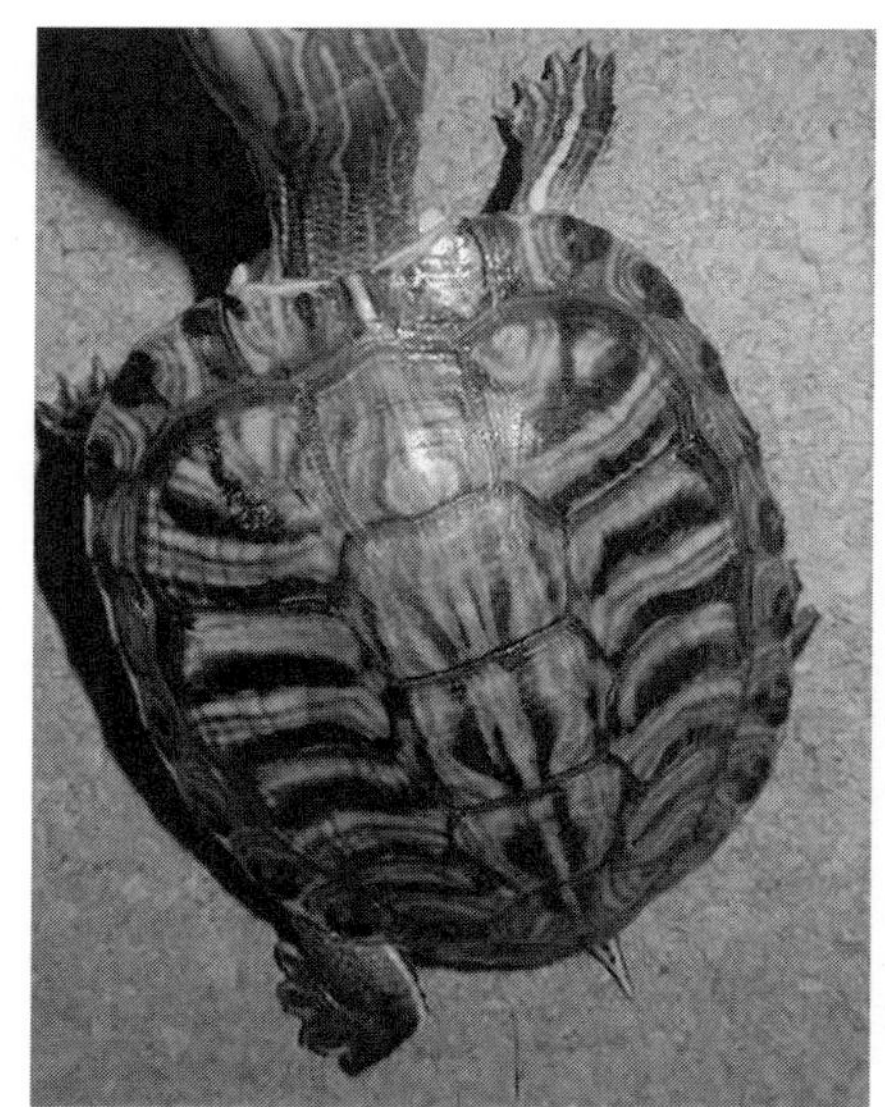

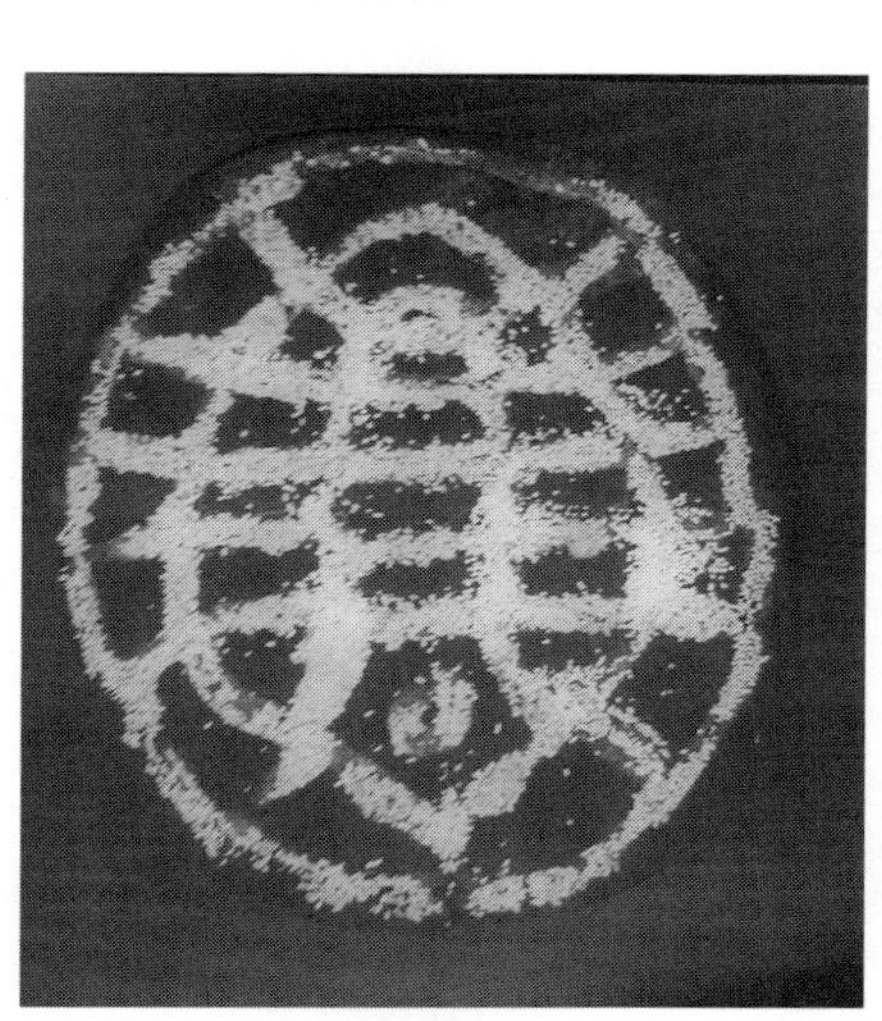

クラドニ図形（1088Hz）

亀が**育つ時**に、体の中で一〇八八ヘルツが**鳴っているん**ですよ。そうでなければ形ができる訳がない。**勝手に形ができる**、という考えが変なんですね・・・

先に、**目に見えない意図**が働いています。**エーテル**とか**アストラル**とか、目に見えないと言っているけど、**音も目に見えない**わけだから。**霊界**とかなんとかって、**特別な世界じゃ**

ないんだよね。

目に見えない世界が、**すでにここにある。音で響いている。**目には見えなかったけど、**太田胃散とフライパン**さえあれば、こうやって見えるわけ！（これで太田胃散が売れるでしょう！）頭のいい人は、これは平面だと思わない。フライパンの上だから平面になるだけで、実際は**輪切り**です。**立体**のはずなんです。三次元だから・・・

だから、**空間には目に見えない形がたくさんあって、**それを平面でちょん切るとこう見える。実際は、**球**だったり何だったりするわけですよ。この様に、全ての生命が**形を現す前には、音が鳴っていた。はじめに言葉ありき。**それによって亀の甲羅はこのように**育っていった・・・**

色々な花がありますね？　その**花**も、この**フライパンの上でできてしまう**んです。特定の周波数を与えると、その**花そっくり**になる。ということは、**花も育つ時に、その周波数を持っていたんだろう？**となりますね。**音（周波数）**がなければ形になりません。

人体すら音でできていた？

さらに言うと、**我々の体**もそう。こうやって手足を広げると**五角形**ですよね？（男性は六角形？　とか突っ込まないでください！）これも、**五角形の音**がきっと鳴っていると思います。**胎内**で赤ちゃんが育っている時に、五角形の音が**鳴っていた**と思う。

人間の体は**ヒューマノイド**といって、**リラ**とか**ベガ**とか言われる星でできたと言われている。その時、まず**五角形の音**を使っていたのではないか？　もともと三次元の肉体というのは、**突然三次元に現れる訳がない**。**エーテル界**とか、**微細なところで形を一回音で創る**。創ったやつを**肉体に降ろしている**だけですね。

だから、**トカゲ**が**尻尾**を切っても、また生えるじゃないですか？　なぜ生えるのか？

スポン！　と切ったように見えて、ちゃんと**目に**

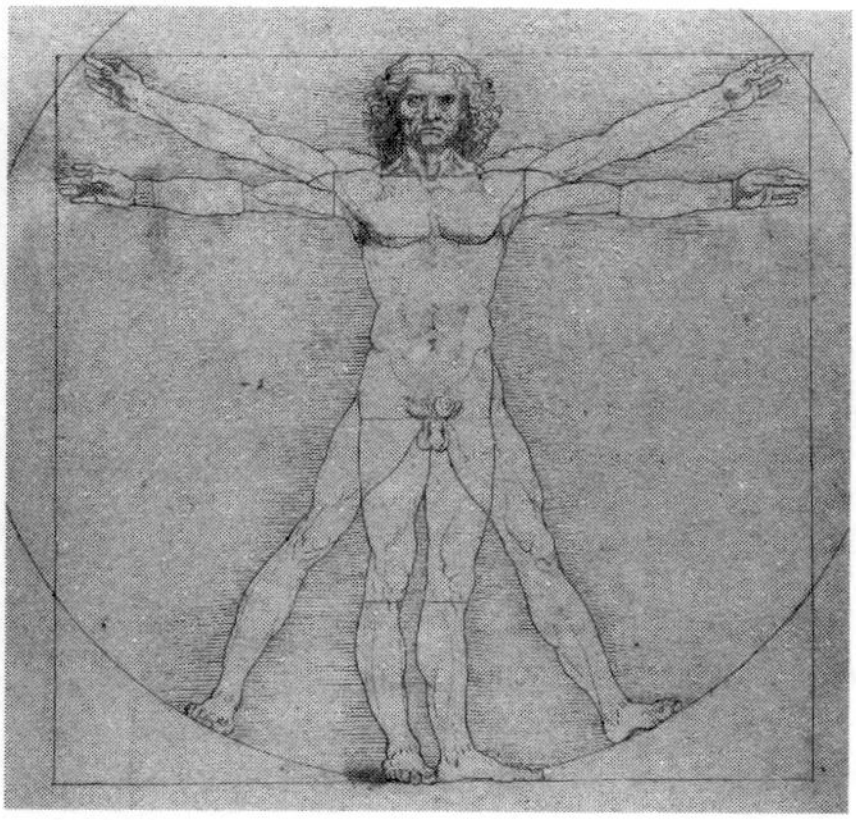

ダビンチの人体図

見えない尻尾が残っているからです。それが、**エーテル体の尻尾。キルリアン写真**には写るでしょう。**音でできている。**音というと分かり難いかもしれないけど、そこに**振動があるわけ**です。それが**マトリックス**で、**鋳型**になっている。その音さえあれば、**幹細胞が寄ってきて、尻尾になってしまう**わけです。

だから今、よく**幹細胞**が凄いと巷で評判かもしれないけど、幹細胞だけが偉いのではなく、幹細胞に**尻尾になれ！**と**指令を出す方が偉い**わけです。それが音です。だから**音**（おと）と**意図**（いと）って似ているんですね・・・

宇宙が自分の肉体に入っている？

エーテル体やアストラル体は、物理現象ではありません。**物質次元の方は、結果の影**です。地球のように人間が**物質次元に住んでいる星**は、宇宙の中では**少ない**のです。宇宙人のほとんどは、霊体とか神体とか**高い次元**で存在していて、こういう下の世界まで作ろうという選択はしない。少なくとも今は・・・

要するに、物質世界は、**固着して動きの鈍い世界**なので。地球では、**波動を低めて、**こういう世界を作っている。**ここ独特の経験をしよう**と思ったんですが、**宇宙の中では稀**だと聞いています。

無限エーテルの海！

霊体とか**エーテル体**という言葉は、説く人によって、**定義**がまちまちです。私の見地では、**全宇宙に繋がって一個の不可分の生命**なんです。**無限性質の生命**のことを言っているんです。

エーテルとは**命の実質。全宇宙を作ったのが大いなる全て、**サムシンググレート**（プルシャ）**であるとする。**その体自体が、エーテルとして現れる。振動**が始まったら**エーテルになった！**という感じかな。だから、まずエーテルがあって、それを、**個別、別個の人間存在みたいな形にしたい**、という意図が働いたので、それを、各々、エーテルが形を変えて、**鋳型に入ったた**ような形をとるわけです。（**エーテルの本質はプルシャ**です）

それを**魂**と言ったりしますね？　魂もね、宇宙的視点では、**厳密な意味では存在しません。魂**という**概念**が地球では重宝するのです。実際に存在しているのは、ここに**全体でひとつ**

の光があるだけ。だから、肉体がエーテル体とかアストラル体を持っているんじゃないんです。**エーテルが、肉体を持っているん**です。エーテルの中に、霊体の中に、小さな肉体がぶら下がっているだけです。

肉体は、あってもなくてもいいんです。我々は、死んだら向こう（あの世）に行くでしょ。そうしたら、**肉体なしでもちゃんと行けます**から。よく、**幽体離脱**した人の場合、死んだ後に上の方から見ていて、俺はここにいるぞ！ と言っても遺族たちが振り向かないとか、悲しい思いをするっていうじゃない？ 自分は下で死んじゃっているので、肉体は**目をつぶっているのに見える！** とはどういうことか？ と言ったら、あれって結局、「**感覚**」は**肉体の感覚器官とは関係がない**。ということだよね？

意識＝無限生命があり、物質はない！

要するに、**感覚や意識、すなわち命というものは、肉体に先立ってある**もの。**肉体なしでも感じられる**もの。しかも上から見ているというけれど、あれは**個人が見ている訳でもないんだ**よね。究極的には、**宇宙全体が見ている**ような現象です。

だから、**全宇宙である自分**というのが、本来は**唯一の存在**で、それが**幻想を生みつつ、一人一人の体に入る**んです。繰り返しますが、だから、**肉体の中**にエーテル体やアストラル体があるという考えは、**正反対**。

霊体が、こんな巨大なんですよ。その中に感情体、幽体があって、その中に肉体がある。肉体はこんなに小さなものです。

エーテル体と肉体は「周波数」が違うだけです。**音の濃淡**が違う。すなわち、**物質は実は存在せず**、いつでもどこでも**音（量子振動）があるだけ**です。

３　二者はいない

すでに進化は終わっている！

　多くのスピリチュアルの人は、**進化**という概念を手放そうとしません。自分の意識を進化させることがアイデンティティになっているからです。でも、**手放す**という選択もできるんですよ。もちろん、神は無限の進化だし、今回**地球が大きな進化を遂げようとしている**のは事実です。でも、私からいうと、そのようなストーリーがとても**魅力的**なんですね。**二極性の世界**に住んでいる**地球人**から見ると。

　テストで三〇**点**取ってきた時よりは、**百点**取ってきた時のほうが、親が誉めたでしょう？　**デジタル思考**（志向）。そういう二**極分解**（**上下思考**）の世界です、ここは。だから「**進化**」**がいい**という発想になります。

　ところが、宇宙の、**鳥瞰的な広い視点**から見てみるとどうなるか？「**すでに宇宙は完璧**」

なので、**進化は終わっている。**

どういうことか？ **我々の本体はプルシャ**という、サムシンググレートです。**完全円満で大調和**です。**無限能力**で、**エネルギー的にも無限。これ以上ない状態で、今でもそう**なんです。**我々**のことですよ・・・

今も！ ちっともそこからズレていない。その**何でもできる存在**から見ると、こういう**限定された世界をやってみたい**わけです。拘束されて、**自由がきかない**世界が**面白い！**

我々の**本体から見ると。**だから、そのためにこういう世界に来た。今は**能力が低い**し、**テレパシー**も使えないし、**アセンション**もできないけども、やがてはそうなっていく、その**進化を遂げる**っていうのが、**凄く面白い！**と見るわけだよね。

でもそれも、**地球独特の考え、ストーリー**なんです。そういうストーリーで、**進化**することを**超楽しみたい！**とやっている。別に**悪くも何ともないですよ！**

地球上では、みんなが似た考えをしている。みんな同じように進化進化と言っている。しかし、**違う見方**をすると「**すでにもう進化は終わっている**」んです。**全部あるんです。**

完璧である「**宇宙**」には・・・

完全、統合　すべてがある宇宙！

宇宙って完全円満で、**３６０度が円満性。進化の果て**と、**一番究極の進化していないものは、すでに完璧に存在**しています、「宇宙」に。**縦も横も、上も下も全部揃っていて、それを完全**という。**統合しているというのはそういう意味で、全部あるんです、最初から。**その視点からいうと、**これから進化をめざす必要はない。もう完成しています。始まった時から、完成**している。実は、**始まったことは無い**が・・・

こんなことを言うと、地球人からすると、**うれしくない話**に聞こえる可能性はありますね？　せっかく**頑張っているの**にね！　**何でこういう話をするか？**というと、この方が、**進化を遂げるためにいい情報**なんですよ・・・

要するに、**進化のため**にやっている人って、やはり**何かのため。**実は、**生活費を稼ぐため、**というのと**同じレベル**なんですよ。**欠けたるものが、確実にある**という！　だから、完全に「**このままで完璧**」**というところに至らない。**自分を、そのままで「**完全円満、欠けたるもの無し**」という状態にしなければ、**ゼロポイントにいけないのに・・・**

スピリチュアルの人でも、なかなかゼロポイントに行けない。**こうしなきゃ、ああしなきゃ！**があるからです。まあ、進化は、その中では良い方の概念ではあるけれど・・・

だから、我々はあえて「**進化というものも必要ない**」という言い方をする。それによって「**今にいる**」ことができ易くなる。**今ここに完璧にいる**ためには、**今の自分じゃダメだから！もっと進歩しなきゃっ！**て、そういう思いがあるだけで、**もう進歩できない**。それは**エゴの活性状態**だから・・・**改善**が良くない、**人格**を高めるのは良くない、と言っているのではありません。それらは、**解決にならない**、と言っているのです。

堕落に先を譲ったイエス・キリスト！

はるか**数千年前に、イエスは一度生まれるチャンスがあった**んだって。だけど**生まれなかった**、というわけ。なぜだと思います？生まれることは出来たけれども、**やめた**。もしその時生まれていたら、**地球全体が悟っちゃって、終わっちゃった！**んだって。その後に、一回**堕落して落ち込んで、その後に劇的に上がってくる！**という**ドラマが台無しになった**、と！

これを聞いて、何が分かりますか？　**宇宙に良し悪しはない！**　という証拠でしょ？　**上も下も無い**ということでしょ？　**体験だけに意味がある、**ということでしょ？　**一回「堕落」してみたい**訳だよね？　それが、**宇宙の意思**なんだよね。宇宙は「**堕落**」**とは全く思ってはいない**でしょうが・・・

古い教会

見ることによって創造が起こる？

今までは**分離**の世界、これからは**統合**に向かう、という説明があるでしょう？　もちろん、そう思っても**面白い**んだけど。でも、違う視点から見ると、**分離と統合は毎瞬毎**（ごと）**に起きている。どっちが良いとかでもない。**

（**創造の御柱**の真ん中を指差して）この中央部分（一一九ページ参照）から、**上に創造が広がる**にしたがって、**分離の世界**になっているんです。**創造世界って、全部分離**なの。

全ては「**見る**」ことによって**創造**する。**プルシャが、関心を寄せたところを見る。見ると分かれる。see**というのは「**見て分ける**」という意味。**ee**は「**見る**」という意味だけど、**s**は「**分ける**」という意味。**separate**（分ける）、**select**（選ぶ）の**s**。だから、**見るという行為（意識）自体が、ものを分けること**なんです。

分けて**細分化**して、**宇宙をどんどん創造**しているのです。

見ることによって、**創造**が起きていきます。昔は**分子**だけしか無かったものが、どんどんどんどん見ることによって、より小さい物、より小さい物、と見ていくと、**原子**が見えた。原子を調べて行ったらば、**素粒子**が出てきた。**クオーク**だとか何だとか、小さいのが見えている。それは、元々あったというより、**見たために現れた**可能性があるのです！　**人間は、プルシャそのもの**なのです。だから、**見ると現れます。無限に小さいの、**見つけましょうか？

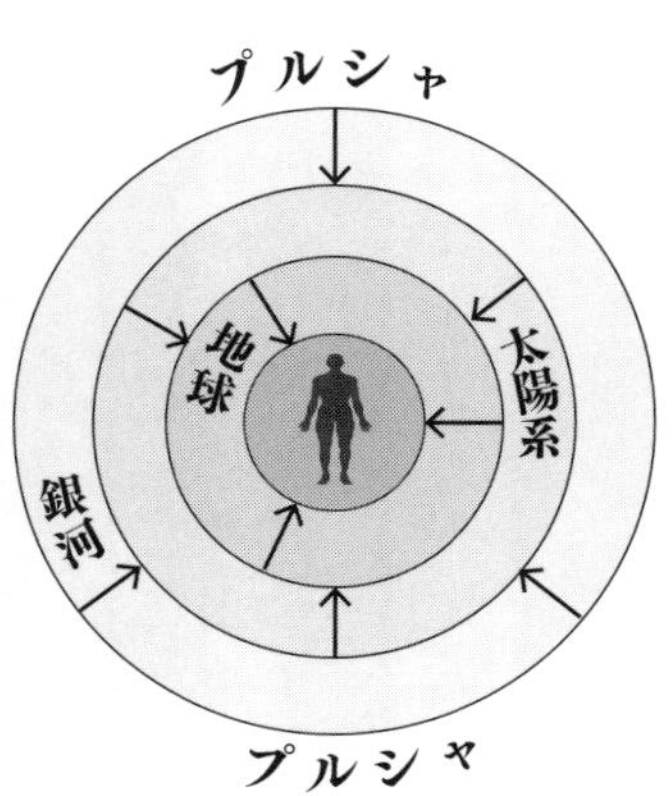

見ることで創造する

昔から言っている**創造、クリエーション。イコール分離**のことなのね。見たので分かれた。**アセンション。**今の時代はこれを求めているけれど、**創造はディセンション。正反対。**だから、よく考えてみると、創造はディセンションだから、**下降したりとか、堕落したりというのは、全く悪くない**ことになる。「**天地創造**」**はディセンション**だったの。**今まで起こって来たすべての地球事件は、すべて悪くない！**ということになるのです。

分離と統合は、毎瞬間に起きている！

だけど、これは歴史の話ではなくて、**一人一人の心の中で**「**今**」**起きている**こと。今の瞬間に、**一秒ごと**に起きている。一秒間に**１００万回以上**起きている。**on、off**で。しょっちゅう、**点いたり消えたり・・・**

我々の**脳みそは〝有る〟ものしか見えない。**有るものだけを**繋げているから、ずっと有るように見える。宇宙**がずっと。しかし、脳じゃないあなたの**実質(プルシャ)**からすると、**無い方が見える。**これを**空**（くう）と言っている。**見える方は色**（しき）だよね？　だから実際**同居していて、**今の一瞬すでに「**空即是色**（くうそくぜしき）」になっています。

この観点からいくと、**宇宙**というのは、**ディセンションとアセンション。分離と統合。**これから統合する、という言い方をするけど、**実際に毎瞬間やっている。**我々が、今現在までずっとやっていること。これは、**鳥瞰的な立場**から見た宇宙です。

すべて同等！それで良い！

どういうことでしょうか？「**統合と分離は同等**である！」という意味です。すなわち**分離は、何も悪くありません。**今まで地球がこんな風になってしまった（エ～ン！）とか、自分が家族と喧嘩ばかりしている（ゲー！）というのも、悪くはない、という結論になるんです。**単なる体験**なのです。**Something Great(プルシャ)がしたかった。**良かったですね！

どちらかが良くて？どちらかが悪い？という見方を**二極対立**という。そういう見方があるうちは、地球は**平和にならない**、と思います。今までの宗教とかスピリチュアルに問題があるとすれば、そこです。あくまでも、**波動が高い方が良い。調和のみが良い。**これ自体が**争い**を生みます。**波動が低い人は、その体験が必要、ないしたい**のでやっています。

実は「**個人**」**は幻想。**彼や彼女がやっているのは、**宇宙的出来事**にすぎないのです。**プ**

ルシャが、その体験をやっている、正確には**「体験になっている」**のです。その**体験が必要、ないししたい**のです。**やっているのは、プルシャ**です。そのキグルミ、端末、パソコンには、**それ以外のことはできません。**

「受容」からゼロポイントに！

両極とも対等で、だから**起きて来たことが全て完璧**だ！と気づいた人しか、**ゼロポイントにいられない。全て受け入れる**という「受容」。なぜ**「受容」**がいいのか？**サムシンググレートの性質が「受容」**だからです。**プルシャって「受容」**なのです。

全てを受け入れるのが、我々の**本体の性格。**受け入れにくいものまで受け入れるということですか？いいえ。**受け入れるのが、ナチュラルで、楽で、当たり前、**という意味です。そうなった時に、**サムシンググレートの性質**になるんです、我々は。

「創造の御柱」の中央に立つことになる。それで**自分の宇宙を創り変えることができる。**

今までの地球人は、どんなスピリチュアルな人でも、**直すとか、変える**という感じが多いでしょう？普通はね・・・

今までの**地球人はダメ**だよな、**俺の心もダメ**だよな。だから**直そう、変えよう**と。こういう心の動きでしょ？　地球人というのは。「**変えると直す**」ばっかりやっている。でも、このやり方は絶対効かない。どうしてか？　と言うと、今までの状態を認めて、これを参考にした上でやっているので、**大した違いは生まない**から。**ゼロからしか、本当の創造は生まれない。**

ゼロポイントにもどるには「ありのままで完璧」！

じゃあ！　どうしたら良いんですか？　**ゼロポイントにもどる**必要があります。そのためには「**ありのままで完璧**」ということが分からないとダメ。「**ありのままで完璧、全ては完璧、欠けたるものなし**」という状態になった時しか、ここにいられない。

ここに来ると、**ゼロポイント**だから、なんでも創れる。**銀河系一〇〇〇個**ぐらいまとめて創ったって構わないし。**金色のモモンガ**にもなれる。**全然違う人生**を創っても構わない・・・

ありのままで完璧というのは「**ありのまま**」という、**特定の状態のことではありません。**

「今、目の前にある状態のこと」。

例えば、今朝、**パートナーと大喧嘩**して頭を殴られた！とか。そういうのを、ありのままというんです(すいません！)。**その状態が完璧**だと思えるか？という話。例が、悪すぎますね？（笑）

なぜそれが**完璧**なんだ？**宇宙は愛でできているの**で、**愛が、こうしたいと思ったこと以外は起きない！**という法則があります。それは、**サムシンググレート＝プルシャが決めているわけ。プルシャって、**自分の中に入っていて、**自分の自由意志で起こったように見えても、実際はプルシャの意思**なんだよね。

アンドロメダ銀河

自由意志は、なぜ起きる？

「我々の自由意志というのは、プルシャの自由意志」なんです。プルシャ（サムシンググレート）の意思というのは、我々の自由意志です。あなたは、**自分の自由意志がコント**

ロールできますか？ よ〜く見てください？ 自分の自由意志がコントロールできますか？ **突然湧いてくるんでしょ？** **自由意志の衝動**って？ この**宇宙って、彼（彼女）がやりたいと思ったこと以外は、何も起きない**んです。それどころか、**プルシャがしたいと思ったこと＝そのままあなたの自由意志。**

夫婦喧嘩は例外でしょうか？ やはり、その瞬間に喧嘩をするということを、プルシャが体験しようとしています。**奥さんにどやされる**おかげで、**元気に暮らせている**旦那さんを、私はよ〜く！ 知っています。（笑）**とっても若い**のです。または、**どやされ過ぎたの**で、**離婚したら**、これ以上ない**幸せな後半生**になった、もあります。この**宇宙は、何で良いことしか起きないのか？** ということが、**一番重要なポイント**です。

エゴイズムに対する、個人の自己責任とは？

分離していると**個人**が思っても、プルシャ目線では、**何も分離がない**。自分の自由にやっていいよ！ というのは、個人とプルシャは別人という考え。しかし、**同じ人なのです！ 個人が自由にやっていると信じた結果の選択は、実はプルシャがした選択**。個人の中に入って、**自由に選択している主体こそ、プルシャ**なのです。**プルシャなしの個人は、存在しな**

いのです。

この景色は誰が見ているの？　と言ったとき、地球人はいまだに「**私**」が見ていると思っている。実は**プルシャ本人が見ている。全宇宙が、目の後ろから回り込んで、あなたの眼球を通して**見ているわけです。その**感覚、視覚**自体が、**プルシャの感覚**。

この、**見る**という**行為**、見てきた**感覚、明るいな、楽しいな、面白いな**、カレーだったら**美味しいな！**　という**感覚、体感**というのは、**プルシャのみがもっている能力**です。これは、**プルシャ**でなければ、**絶対に感じられません**。ということは、今見ている、この見るという行為は、この**肉体には絶対できません**！

魂が仮にあるとしても、**魂も肉体も、そういうことはできない**んです。プルシャしかできない。この感覚、**生きている感覚、存在感**というのは、**プルシャの存在感**なんですよ。

I am（我在り）という存在感は、**プルシャの存在感、**それを借りてきて、**私はいるじゃ〜ん！**とか勘違いしているのが我々です（笑）。**感覚の全て**もそうです。

二者は、いない！

だから、みんな、**神**がいて、自分は**神の子**だって言っている、神の**分け御霊**（みたま）だと言っているけど、この言葉は、誤解を生じさせることもある。

分け御霊ってどういうこと？　**光が分かれている**っていう意味でしょ、これ。**神そのものが**。神の他に、分け御霊がいるんでしょうか？　神が分かれているっていう意味だから。**今見ている感覚は、プルシャの感覚**なので、まさに**自分がプルシャ**なんですよ。

「**意識そのもの**」を今、説明しています。あなたが今見ているのは、**神が見ている**んですよ。**全体とか部分というのは元々ないん**です。**今も無いん**です。**いつも無いん**です。確かにこの世界は、部分に見える。**三次元はそのために作っている**し、**脳みそ君**というのは、**分離**しか捉えられません。**隣の人と自分は違う**じゃないか？　と見えるわけです。

しかし、**プルシャ**が見たら、**いまだに一つ**です。そしてプルシャは、**今、あなたの目の中に、体の中に、心の中にいる実体**です。肉体人間からみた意識、そしてプルシャから見た意識を、**決して分けないこ**とです。一度**プルシャの視点**から見てみませんか？　人間側

から見るのは、**何万年もやってきましたから・・・**

問題の本丸は「私」？

この**三次元**には、**時空**がありますね？　朝起きて三〇**秒後**には、現れてきます。カーテンや青空が見えてくる。**同時に必ず「私」**が芽生えています。睡眠中には「私」はいません。**正常な（笑）状態**でした。**「私」は唯一の苦悩のベース**。なので、**睡眠中には、苦悩がありません**。だから、**寝るのだけは絶対嫌だ！**　という人に会ったことはありますか？

鬱（うつ）の人は、例外なく**自分のことばかり考えています**。ブラジルやミャンマー。**開発途上国などには、あまり鬱がいません**。鬱だったら、生活できなくて、**すぐに死んでしまいますから**。サバイバル環境では「**私**」を考えている暇がない！　のです。だから、**安定欲求の人には鬱が多い**のです。安定するとダメになり、**リスク、冒険があると元気になる**のが、**エーテル体！**

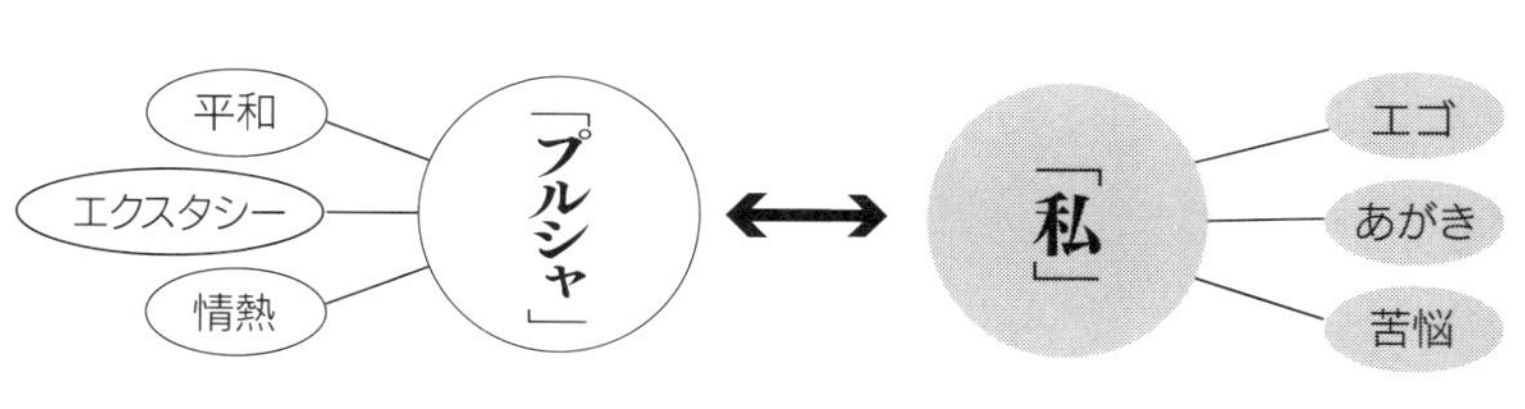

「私」が本丸

一方、**マザー・テレサ**のような方は、**少女**のようで**凄い明るかった！**と看護婦が証言していています。彼女は、親の死に水をとり、残された赤ちゃんを引き取って歩くことばかりをしていました。**財産は、バック一個**だけでした。**自分のことを考える習慣が、あまり無かった**と思われます。「**私**」を意識しない生活では、**暗くなり得ません。**

理由は何でしょうか？我々は「**私**」**ではないから**です。個人ではない。**もともとプルシャ**だからです。**たった今もプルシャ**です。そこから**外れるから、鬱になる。苦悩**を抱える。**明日の心配をする**のです。

「今ここ」にいるには？

「**今、ここ**」にいられる**条件**は何でしょうか？**ありのままで完璧**、と知っているときです。**このままでは拙い**と思うから、**不安を将来に飛ばしたり、過去をほじくり返したり**しますね？今の「**受容**」**が無い**のです。**駆り立てられる、模索する、もがく。**これこそが、**エゴの性質。プルシャの視点**に立った時だけ、**何一つの問題もありません。**「今、ここ」にいられます。むしろ**プルシャ**とは何か？「**今、ここ**」**のこと**なのです。

コロッケとメンチの神秘！

自分がやっていると思っていたんだけど、どうも**そうじゃない！**ということは、色んな人が今言い始めているよね？

ある大学で、ある人がこれから家に帰る時に、**コロッケを買うか？　メンチを買うか？**という実験をした（一例）。最初、**コロッケ**を買うつもりで帰った。ところが**コロッケ！**という寸前に、**メンチ！**と言ってしまった（凄いことだ！）。その時に、この人の**脳波**を見ていたら、**メンチという二秒前に、メンチという信号が入っているん**だって！　違う大学だと、**もっと前の時間に、**というデータも出している。これが本当だとすると、この人に**メンチを買え！　と言ったのは誰**なんだ？（**差額**を払ってくれ！）**自分が決めた！**と思っているけど、そうではない。**誰が決めたの**、これ？

4　ありのままで生きるとは？

いったい、自由意志があるのか

もともと、**個人自体も存在しない**。ただ、**自由意志っぽいものがあって、何か自分が選べるような気がした**。でもこれっていうのは「**私**」という**感覚**でしょう。「**私**」がいるので「**私が選ぶ**」**という感じになる**だけね？

しかし、**観察力**がここで必要になるんですよ！　自分が何かを選んだ時に、これって**本当に自分が選んでいるのか？　よ〜く見る！**　という練習。例えば、ご推薦したいのは、これから家に帰るまでの間に、**自分から何一つアクションを起こさないで**、**人生が展開するか？**　どうかを見る！　自分が**何かしようとしないで。コントロール、イニシアチブを取らないで**。それでも**人生が起きるかどうか？**　を見てください。

分かれ道で、突っ立ったままでいる（笑）という意味ではありません。**意図を働かせな**

くても、どっちか選ぶんじゃないですか？

さて、【吉田統合研究所】は「**アーユルヴェーダ市民大学**」を主催しているので、このトピックは少し違って見えます・・・

アーユルヴェーダでは、どの人も生まれてきた時に、**ピッタ**と**カパ**と**ヴァータ**という、**三つのエネルギーの混合体**で生まれてきます。全部が100なら、これが各々**33**というのが、一番バランスがいいのだけれども、実際にはみんな違っていて、**まちまち**で生まれてくる。**そのバランスによって、その人の一生に起こることが、かなり予想できます。**

三大気質の特徴は？

ピッタが強い人は**火**が強い。なので、顔が**赤ら顔**。**酒**を飲むと顔が赤くなり、**イライラ**する。**もの凄くアグレッシブ**に物事を**成就する**ことが好き。**外見、カッコよさ**にこだわる。**スピーチ**させても**話がうまい**。**ハッキリ**した**メイキャップ**の異性を好む。そして、**適切さ**を好む。これは、**火**というのは**酵素**のことなので。酵素ってそういうものなんですね。なんでも「**適切にする**」。**ホメオスタシス**をバランスする、**太ももの**太さを太すぎず細すぎずする。**男性ホルモン**、少なすぎず多すぎずする。それが**酵素**なんだけれど、これを**火（ピッタ）**というの。この要素が強い人は、**胃潰瘍**になりやすい。火だから。火が増えすぎると、**十二指腸潰瘍**、**皮膚疾患**になって、**怒りやすい**。火が強すぎると**肝臓に障害**が出やすいんで、**白髪**になりやすい。あと**視力が落ちやすい**。**毛が抜けやすい**。これはこういう性質があるね。で、**完全に火のタイプという人はいない**んだが、これが強い人はね、これが平均の33より**38**とかになると、**この傾向が強まってくる**わけ。

カパは、**水**ということで「**形を作るもの**」を水といいます。この宇宙は、**水がないものは形が全くない**んです。例えば、**鉄**のように硬い物質。それから水を取ってしまうと、**粉しか残りません**。**宇宙の形というのは、全て水でできています**。**カパ**が多い人は、**グラマー**。要するに、**形を保持しよう**とする力が強いんです。そして、**タラコ唇形**で、**まぶたが二重**で、**額が広く**、**髪の毛が太く**、**体は白く**、**リンパ球が豊富で花粉**

ピッタ	**ヴァータ**	**カパ**
（火・酵素）	**（風・電子）**	**（水・体液）**
激しい！	**変わり易い！**	**安らぐ・・・**

ドーシャの特徴

症になりやすく、**糖尿病**になりやすく、それから**アレルギー**、**喘息**になりやすい。これは**水が豊富すぎる時**にだけ起こるんですね。で、**おっとり**していて、あまり**新しいことは好みません。いつも同じこと**をやっています。だから、**星乃珈琲店**とか、**上島珈琲店**に行くと、店員さんはほとんどカパタイプかもね？（笑）。**同じことをやっていて飽きないんで**すよね。**ピッタやヴァータのタイプには、それは無理**ですね！

ヴァータというのは、**風**という意味。宇宙では「**動き**」「**変化**」を象徴しています。風が豊富な人って、**血管が浮き出ています。動きが速すぎる**ので、太れない。**痩せています。**風の性質上、**冷えています。乾燥しています。**だから、**リンクルケアが一番必要**な人。そして、一言で言うと、風、**ヴァータ**は「**変化を好む**」んですね。それで、**デートは同じところへは行きたがりません。**いつも**違うところ**に行きます。で、**遊びが大好き**で、**好奇心旺盛**で、しょっちゅう**新しいこと**を探している。**新興宗教に入り易い**のはこの人。でも**たわいもない理由でやめたりする**の（笑）。この人は**気が変わりやすい。心配や不安をよくする。**これは**センサーが風のように揺れ動く**ためです。

ヴァータの人は**心配**、**不安**。**ピッタ**は**イライラ**。**カパ**の場合は、両方とも無い、その代わり**抑圧**傾向。**現状維持を好み**、**平和を愛する**。**喧嘩が嫌**だから、何かあった時に**自分が**

折れる。自分さえ引けば、となり、その結果**抑圧**してしまって、これが**鬱**の原因になります。

今私が話したのは、**モデル**を言っただけで、**こんな人がいるというわけじゃない。**「典型的な例」。でも、地球上にいる人は全て、この三つが入り混じっていて、**そのバランスはその人たった一人**です。他にはいません。**過去世を全部さらっても、一人しかいない。この銀河宇宙を見ても一人しかいない。プルシャは、その今まで一人もいなかった、あなた独自の体に入って、体験したい**のです。**身体障碍**（しんたいしょうがい）でも、**脳障害**でも、**根性なし**でも（笑）です。体験しているのは、言うまでもなく**プルシャ本人。**

先が読めてしまう？

するとね、**パソコン端末**と同じで、**初期設定がこう済んじゃっている**わけ。生まれた途端にこれが決まるので、**両親のＤＮＡ**と**カルマ**とも調整しながら、**初期設定が済んでいる。**すると、この**端末**であるＡさんというのは、例えば、この部屋に**テロリストが入ってきた**とするでしょ、もしその**旦那さん**が**ピッタタイプ**だった場合、**命がけで妻を守ろうとします。**ピッタって、**適切さを好む**ので、それが「**正義**」**だと思ったら、命をかけてもやる。**

カパの人は、**平和主義者**でしょ。まあ**一献どうですか**？と酒を出す。**ヴァータタイプ**は、**変化、動きが激しく速い**んでね、気がついたらいない！（笑）。何処かに行っちゃってるの。というふうに**反応が予想できます。**

全て、**宇宙の五大元素の配合比率のみ**で決まります。**（ピッタ、カパ、ヴァータは、五大元素の配合比率でできたもの）**

二つの出来事とは？

つまり、**Aというインプット**があると、①**というアウトプット**が出るか、②**となるか**は、**あらかじめ決まるん**ですね。**初期設定**で決まっていて、**個人の自由ではない**んですよ。**初期設定を決めているのはプルシャ**です。**サムシンググレートが初期設定を決めます。今回はこうしよう**と・・・

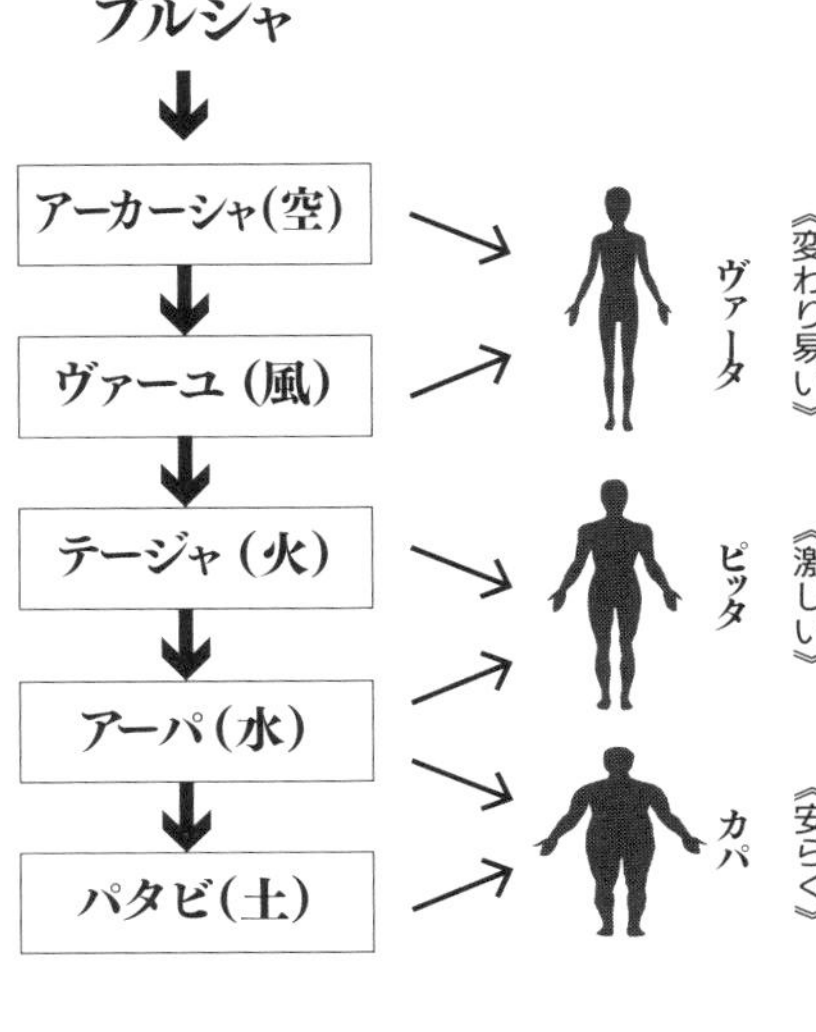

五大元素の戯れ

もう一つの要素は？ パソコン端末（**キグルミ、アバター**）は決まったけれど、そこに**どういった出来事や想念を入れ込んでくるか？ 想念、感情、出来事、**これは、たまたま起こっているということはないです。それは、**宇宙が起こしている。感情、想念**というのは、**個人のものじゃなくて、宇宙が起こしている。プルシャが。**だから、**避けられない。**

想念感情はコントロール可能？

我々なんて、四十年もこんなことばかりやっているけど、**想念と感情**をずっと**コントロール**しようとしても、**不可能**なのが分かる。これ、**できるっ！** ていう人がよくいるんだよな。**感情コントロール**できる人、と聞くと、ハーイ！ って。ちゃんとやっていない証拠かも。やった人は全員わかっているから。**不可能**だということが・・・

感情、想念というのは、**どうなったって出てくる。**この人の**傾向、**あの人の**傾向、全部違った反応をするる**んだよね。そうすると、**感情、想念**自体が、**宇宙が与えたもの、出来事自体がコントロールできない**ものなんです。できると思っているところが、**ちょっと素人。**

引き寄せはどうなるの？

引き寄せの法則とかは、どうなるんでしょう？　**引き寄せはすでに終わっている。**これから引き寄せようという話じゃない。**目の前で起きていることが、引き寄せ。**だから、さっき出てきた「**選択**」**というのは、今、目の前で起きていること。**もう、**選択は終わっている。**誰の選択が？　**プルシャ**でしょ？　ところで、**プルシャって誰？**　あなたでしょ？　じゃ、**キグルミ、端末**であるあなたは？　**あなたではありません・・・**

プルシャに任せれば、エゴは力を失う！

出来事のインプットは、**宇宙**がやっています。すなわち**プルシャ**がやっています。サムシンググレートが。そして、この**端末（キグルミ、個人）の初期設定は、プルシャが決めています。**ということは、この人、**地上の意識の出番はありますか？**

この人は一体何なんですか？　ただの**パソコン端末**で、**あるように見えるだけ**です。**本当に存在しているのは、プルシャだけ**です。プルシャが決めた通り、今回の場合、**ガンになっちゃう**人もいるんだよね。**両親のDNAを選んで**生まれてきているし、本人の性質もこうだから、例えば**ピッタタイプ**の場合は、**辛いもの食べ過ぎ、酒を飲みすぎた、肝臓を傷めた場合**に**ガン**になりやすい。

もう、**初期設定で決まっている**わけだ。そうすると、この人は五十代半ばにガンになる、ということは**あらかじめ分かって生まれてきている**かも。でもそれって、全部**やりたくてしょうがない**からよ！これを聞いた人が、**そんな傍迷惑**(はためいわく)**なっ！**て言った(笑)。この人**(プルシャ)の意志**で、**自分が**こんなに苦しまないといけないわけ？と言うんだけど、違うでしょ？

苦しんでいるのはこの人(プルシャ)だもん。**他の誰も苦しんでいない。**この人(**プルシャ)以外に、あなた本体なんて、どこにもない。端末に入って、喜んだり悲しんだりしているのは、この人(プルシャ)**だもの・・・その他に、**あなたらしきものは、何処にもいない**のです。

知っていてやっている？

少し話を戻すと、さっきのエゴの話なんだよね。**エゴというのは何か？「私」**が、この**A君が存在するという、勘違い**から生まれている。**「私」がいるという、強固な信念。**だからこそ、**俺がやった、私がやった、**ということを**バカにされるとエゴが怒るし、**自分がやったことがうまくいくと「**俺が**東大に入ったんだぜ！」みたいに鼻が高くなっちゃって、周りから逆に**陰口叩かれたり**とかさ、そういうことが起こるわけ。

「**私**」**がやった！**というところから、それが生まれるんだけど、それを**エゴ**と言っているわけだ。しかし、もっとうがった見方をすると、**この端末に入ると、こういうエゴが出るって知っているの**よ！**プルシャ**は。**その上で入ってくる**わけ。だから**奥の深さを見ないと**ね。**宇宙っていうのは、エゴが悪いとか、そういう小さな世界じゃない。エゴ自体は全く問題ない！**実は。**全部そのつもり**なんだもんね・・・

で、**これを見抜いた人が、エゴを初めて手懐**（てなず）**けられる人。**なんで？エゴが悪いからこれを無しにして、もっと**良いことが思えるようにしよう、**もっと**瞑想ができるようにしよう、もっと進化できるようにしよう、**と思っていたら、**エゴは無くなりません。**

エゴって、戦うこと自体。要するに、**今の私じゃダメだ！**というのが**エゴのフィールド。模索。あがきがエゴ**なのよ！だから、この**エゴを黙らせる方法は**「**受容**」だけ。**エゴを受け入れてしまう**んです。

エゴの世界を超える「受容」！

さて、どうなるか？この理屈が、ハートと頭で腑に落ちた人は？
起こって来たことは、**絶対にそれがいい**と思って起こしているな！となる。起きてきた**感情も、それがいい！**と思っている。**自己処罰も**そう。旦那さんに怒りの感情が湧いてきても、**その感情をやりたい**んですよ。一つの理由は、**地球でしかできない**から、そんなこと。**他の星では、できない**から・・・

自己処罰もないし、**死への不安もない**し、**感情自体もない**って言っているくらいだからね。**地球独特**だって。だからこそ、**地球人をわざわざ選んで降りて来た**んだから。ここで、せっかく降りてきて、**感情を味わわないで済まそうなんて、そんな勿体無い話はない！**

だから、以前**Infiny**と話しているときに、向こう（宇宙）の存在に聞いてみたの。「**ありのままで完璧**」という状態にならないと、人間は最終段階にならないけれど、どうやったらいいですか？と。そうしたら、何と言ったと思います？」

「それは、**不可避**（フカヒ）です！」。

最初は「**フカヒレ**」か？と思った。一字違うね！しかし、この意味は、**全人類が、全員、**

ありのままで完璧になることになっている！という意味。**もうすぐ**です。**もう、終わり**なんです、地球は。もうちょっとで。**全員こうなっちゃう**んですよ。**ありのままで完璧**に・・・

二度と経験できない！もうすぐに・・・

今言っているような**ドロドロした感情**とか、**心配**とか**不安**とか、がん保険やめるとかやめないとか、そういうことは**二度と無い**わけです。地球人は、輪廻を数千回、数万回くらいやっている人もいるけど、特に今の**日本人**なんかは、**もう終わり**なんです。もう輪廻はない。下手すると、人間も終わりなんです。この**五角形の体**に入るのは、もう終わりかもしれない。ここは、わざと旧態依然とした視点で話しています。

二度と無い！となると、**この世界がすごく懐かしい**というか。という訳ですから、彼らのアドバイスは「**今のうちに、存分に存分に、苦しんでください！**」でした。**なめてる**訳ではありません。なぜなら？**そう思った方が、苦しみが去ります**から・・・

5 周波数が変ると世界が変わる

人類の歴史というのは**ドラマの連続**で、実に面白いわけです。でも全部、この**シナリオを書いている人**がいるわけで、それが、**サムシンググレート、プルシャ**なの。これが面白い人で、中にはもう、**津波で死んでいる人**もいるわけでしょ？　津波で死ぬなんて、あんな悲惨なことをどうやってストーリーを作るわけ？　**神様なんて信じられない！**　という人がいる。そういう人、いっぱいいいるよね？

ヨーロッパのクリスチャンなんか、**神のことを信じられない理由**が、何であんなに**悲惨なことを許しているんだ？**　っていう。

ところで、**刺されて死ぬ**のが嫌だっていうけど、**病気で死ぬのとどっちが苦しいか？**　といったら、**分からない**と思わない？

また、**他の人が、同時に何人死んだか？**　も関係あるかな？　**アトランティスの崩壊**のようなケース。個人が経験するのは、あくまで**個人的な死**。

新型**コロナウイルスで死ぬのは、酷**いことだが、同時に**インフルエンザでは、何十万人も亡くなっている。どっちが酷いことなのか？**悲劇度合いの評価は**メンタル**じゃない？**吉田松陰**は、**首を落とされて死ん**だから**惨**(むご)**いのか**？それとも、**大義に準じたから、栄光の死**だったのか？

その判断は、**頭でこしらえた、人工的なストーリー**をベースにしている。非常に**メンタル。**死んだ途端にあっちに行くと、大いなるすべてに戻っちゃう。そうすると、**な～んだよ！ただのホログラムじゃん！**と。**宇宙では、死ぬということ自体があり得ない**んだから**・・・**

真実を忘れたせいで怖いだけ？

生まれて来る前までは、**死ぬということは絶対ありえない！と分かっている。**でも、ここの世界に住んでいたから、**死ぬのが怖い。**そして**アトランティスが崩壊**すると、**とんでもない事**になった！と思う。ところが向こうに帰った途端、**ただのホログラムじゃん！DVD見ていたのと、そんなに変わらない**わけ**・・・**

もちろん、**種明かしをされる前は、それは怖いに決まっている。**だから、**困っている人**

たちを救いたいというのは、まったく理解できるし、**尊いこと**でもある。この**三次元マトリックスにどっぷりつかっていた**のだから、**それは辛いし、恐ろしい。**それを**救済する精神**は、もちろん尊い。

ヒーリング・ウェーブのユーザーが、誰に頼まれたわけでもないのに、一生懸命に祈りの活動をするのは、もちろんそういう愛の思いを表現することが**うれしい**から。

凄~くしたい！「体験」しか無い・・・

しかし、ここで語っているのは、**もう一つの視点・・・**その**「恐ろしい現実」**。そこにいる**二者。救いたい人の正体はプルシャ。**じゃ、**救われる人の正体は？ プルシャ。**各々の**立場、視点、周波数**を体験したい。それが**唯一のプルシャの願い**です。

ポイントは？ **必要だからするのではない！** しなければ**大変なことになるから、するのではない！** いたたまれないからでも・・・じゃどうしてするのか？ **やりたいから。**そうしたいからだ！ **ほかに何も無い！** その立場に置かれたら、**何を感じ、どうしたくなるか？** **何を体験したいか？** それしかない。

苦しんでいるのはあなた？ 楽しんでいるのはあなた？

こんな悲惨なことをなぜ起こしているのか？ と聞きたいですか？

プルシャから見たら、悲惨な目に合わせているのは、プルシャじゃない。「**悲惨な目にあっている**」のが、**プルシャ。本人が入っているんだから。われわれという架空の存在**が、苦しんでいるんじゃない。

彼が苦しんでいるんだ。あなたの「**私**」単体では、**苦しむことすらできない！**

宇宙っていうのは、**そこまで懐**(ふところ)**が深い！** と思うしかない。**良いことばかり起こそうとは思っていない**。良いことは、他の宇宙でも体験できる。**地球でしか、この宇宙でしか体験できないこと**がしたい。しかも**超短期間**。宇宙暦では、**たったの一日**くらい。**一瞬か？**

人類文明の栄枯盛衰、全部が**ストーリー**。これまでに六回滅んでいるという説があるよね？ 今回が**七回目**だと。今回失敗したらおしまいだぞ！ だからみんな**頑張るんだぞ！**って。それで、**アトランティス崩壊の時の魂が転生**してるし、**オリオン大戦の時の残り勉やっている連中**がここに来ているし、昔、**流刑地に流されてた奴ら**も来てるし、というこ

とで、地球は凄いことになってるという・・・

だから、今、この**物語が完成**すると、**今までの過去が全部清まる**んだぜ！　みたいなんだけれど、これ自体が**面白いストーリー**！　が、おそらく宇宙人は、**同じようには見ていない**と思う。これは**地球人の視点**に過ぎない。かと言って、これを**投げ出す必要はない**！　せっかく**楽しんでいる**んだから。**感動的**でありさえする。そうだと思って**楽しんでいる**んだから。**楽しんだ方がいい**いんだけれど・・・

どんな体験も、体験が面白い！

それ自体が**壮大な遊び**。**もの凄く楽しい**！　そう思った方が、**エゴは抜けやすい**わけ。エゴっていうのは、**戦うと絶対にいなくならない**。**消そうと思ったが最後**、延々とここにいるわけ。**居座り泥棒**だから。今までのやり方では、あまり役に立たない。

だから、**全ての出来事が**、**全部プルシャがやっている**ことなのだ、と考えてみてください。今怒ったり、悲しんだり、ISのテロだとか、それも**経験してみたい**、殺されることも、殺すことも経験してみたい。我々は、絶対に一回は殺されているし、人も殺している。**良いことではないが**、**悪くもない**。

だから、全ての人が、**全宇宙で、自分以外はまったく経験できないことを、今、しているんです！　プルシャ**（Something Great）ってそういう人で、**まったくのユニーク性を好む。**それで、**毎瞬間、毎瞬間、プルシャ自体がここに入る**んだよね。そして、プルシャ自体が体験しています。

自由がないと思うエゴ、自由そのものである大いなる私！

それで、それぞれ今体験している、これは**美味しいな！**　とか、**面白い**な！　とかいうような**感覚は全部、プルシャ**がしている。正確に言うと、**プルシャこそが、体験**なんだ・・・

今の瞬間はここに入っているけど、次の瞬間はここに入っているかのように、**瞬間芸でどこにでも転写**（変身）できる、**プルシャ**って。実は、**地球上には誰もいない。**ただ、各所に**端末（パソコン、アバター）が置いてあるだけ**だよ。うろうろ動く。で、**プルシャ本人は、それが本当の自分、あなた**だからね。**一人しかいない・・・**

実は、さっきの、**自由意志がない！　のか**？　というところで、**つまづく人**がいっぱいいいる。

ノンデュアリティがメジャーにならない理由はそれだろう。**自由意志がない**、というのは**凄く嫌**でしょ？ ところが、私の言い方で言うと「**自由意志しかない！**」。なぜなら、**自分って、プルシャ**だもん・・・

神と切り離された「私」という思考が作り上げた、**アイデンティティの方が間違っている。こっちが自分だと思うから、自由がないと思っちゃう**だけ・・・

自由意志がないと言われると、**制約される感じ**がするから、**エゴがそれを拒否する。エゴが嫌がっているだけ。プルシャが本当の自分。プルシャ以外の何物でもないんだから。完全なオールマイティ！** 完全な自由。**これ以上ないほど完全自由！ 自由が体**だ。すべて、**思った通りのことしか起きない・・・**

今までのスピリチュアリティーが**効果が上がらない**のは、そこだと思う。**自分がやっていないものを、自分がやったから、悪いから直せって、凄く複雑な心理！** なんだよ。これをやってしまうと、**エゴがどんどん大きく増強**されてゆく。いつまでたったって、**エゴは無くならない。悪いと思うから、やめないし、受け入れないから、存続する。「抵抗**＝**存続」の法則**があるから・・・

この子は、**悪い！　と言われれば増長**する。**良い子だね！　と言われるとしぼんじゃう**けど、**お前は悪い**と言われると「**そうだろう！**」**みたいに、凄く喜ぶ**わけよ。エゴは。**もっとやってやろう！**　みたいな・・・

私無し！　することも無し！

これから、**自分がプルシャだ**という感覚が、少しずつ**蘇**（よみがえ）**ってくる。**そうなると、この話は**実にいい話**としか聞こえないはず。それまでは、なんか自分の**自由が減った**ような気がするかもね。「**これが自分だ**」「**私が自分だ**」という意識が強いから・・・

ところが、**達人**を見ていると、みんなその**反対を行っている。**おそらく、スケートの**羽生君**もそうだし、**長嶋さん**もそうだったし、何かに長けた人というのは、何かをやる時に、完全に自分を失うんだ。

「**自分**」**なんかどこにもいない。マザー・テレサ**もそうだし。そうでなかったら、**凄く良いものなんか作れない。画家**でもそうですけど。あと、**彼氏とラブラブの時**も、本当に幸せなもんだから、**自分のことは忘れてしまう。**自分のことを覚えている位だったら、**全然幸せじゃない**わけだ。**エクスタシー**っていうのはそういう状態。**完全に自分を失う・・・**

完全に失うということは、**プルシャになっちゃった！**ということ。**プルシャって最初からエクスタシー。プルシャ＝エクスタシー。**放っておいても。だから、**何にもする必要がない。**だから「**何かをしなきゃ**」**ということが、最初から違う道に嵌**（はま）**っている**ということ！宗教も含めてみんなそう。**あがくこと。あがくこと、模索することが、エゴ・・・**

あがかなくなるには？

一つの方法は、**【ヒーリングウェーブ】**の音を聴く。**【ヒーリングウェーブ】**には、どの音を使っても**共通の音**が入っている。それが「**魂のブループリントに共鳴共振する音**」＝**愛**と言われる音。これを使うと「**ありのままで完璧**」っぽく感じてくるみたいだね。だから、**あがくことが減っていく・・・**

ありのままで完璧！

今日ちょうど一人、**感想文**を送ってくれた方がいて、**川村さん**という聡明な女性です。そのことを言っているのでご紹介します・・・

「ヒーリングウェーブに出会ってちょうど一年になります。現代医療に委ねていたら、**間違いなく、今頃は車椅子生活**か、もしくは、**命を落としていた**かもしれない、**脊椎管狭窄症**（せきついかんきょうさくしょう）でした。**母親**が満**九四歳**の誕生日を元気に迎えることができたのも、**ヒーリングウェーブ無くしてはあり得ない**ことと、深く感謝します。

縄文神聖水の愛用歴三年、**【ヒーリングウェーブ】**を一年、愛用させていただいていますが、率直な思いは『**ありのままで完璧**』のごとく、ようやく**高次元の霊性、ハイアーセルフに出会う**ことができそうな予感がしています。」

テクノロジーを使っているだけなのにね、こういう感想を持っていらっしゃる・・・なぜ、このような変化があるんでしょうね？

努力せずに機械に頼っていいの？

これは、ちょっとズルいのではないか？ 機械に頼って、自分が努力せず、そうしていて良いんですかね？ という質問があるわけです。実は、**最初に、そう疑問を提起したのは、私です。**

はじめ、**問題はそれだ**と思ったの。逆にそういうものを世に出すことで、変なマイナスは作りたくないからね。それで、あっち（宇宙人）に聞いた。そうしたら、**心配いりません！** と言って来た。

ある青年がね、**松果体**（しょうかたい）のことばっかり聞いてきたの。**松果体を開こう**としていたんで、宇宙人に「大丈夫なんですかね？」と聞いたら「**何の問題もありません**」と言われた。なぜなら、ここに入っている音は、**どの音にも、愛の音が入っているから。**

「**魂のブループリントに共振・共鳴する音**」が、どの音にも**ベースで入っている。**これは、言ってみると**愛の音**なので「愛だから、**自ずとバランスをとります。**だから心配いりません。**その青年がどうなるか？ 見ていてごらんなさい！**」と言っていた。確かに、その青年は全然**悪くなっていない**。むしろ**柔和になった**。

ただ、私も**意識は大切に思う**ほうなので、**意識の方が大切ではないのか？**という思いもある。機械で、そんなことをして良いのか？と。

愛はこだわらない！

だけど、今は、こう思うんです。人類の**意識がある程度高まったせい**で、地球の**周波数が高まったから**、こういうものが**実現したこと**は確か。だから、自分たちの**祈りの結果が現れた！**と見たならば、それを**存分に楽しむことは、何らおかしいことじゃない**。前にも言いましたが、進んだ星にUFOで行った**松尾みどり**さんも、**進化した異星人たちは、同種の音響テクノロジーを、日常的に使っていた**、と言っている。

宗教や、特定の信念を持つ人がいる。彼らは、**薬、機械**などを寄せ付けない。「**意識」だけが重要**だという。しかし、**物質世界は「意識」でできている**。「意識」の**結果が、現象、現実**だ。目の前に**素晴らしいもの**が現れた。**意識が創造**したものだ。**意識の証明**として、出現してくれた。**存分に楽しみな！**と。でも、精神主義の人は受け入れない。**機械**

に頼るのは良くない！と。ちょっと、**真面目過ぎない？ 機械も、愛の結晶**なのに？・・・

毎瞬間、異なる人になれる！

周波数が変わると、どうなるか。世界の感じ方が変わる。そういう体験を繰り返すと、中には、**生まれた時の自分と、二十歳の自分と、退職した時**と、今の自分と、**一秒後の自分は全員違**うものだと分かる人も出てくる。

覚醒した、**アセンションした星**の人は、こういう見方をしているらしい。周波数が仮に一〇〇〇ヘルツから、一〇〇一、一〇〇二、一〇〇三ヘルツ、**ちょっと動いただけで全部違う人だ！** と捉える。そうするとここで、大変なことが起きる！ **周波数に応じた「記憶」までが選ばれて来る**のだ。

とても**ネガティブ**だった時の周波数には、**酷い「記憶」**がやってくる。自分は昔から**ブスッてた**、とか。ところが、気分が良くなった時には、もっと**素敵な「記憶」**がやってきて、私は昔から、**結構もてたよなあ！** みたいになってしまう。

ということは「**記憶**」**って、結構いい加減！**というか、**意味ね〜じゃん？**そうしたらどうなるか？**過去**にこうだったから、**今**がこうだ！といった**因果関係は成り立たない。事実上嘘だった**になる。ということは、結果的に、**カルマは存在できるのか？・・・マズいですよね！**これ？

過去世はただの記憶、しかも誰かの記憶？

自分が**過去世**で人をいっぱい殺したから、今回俺は**ガンが治らないんだ！**と仰るかもしれないけど、今持っているあなたの周波数の「**俺は治らないんだぜ**」という確信を持っている**周波数**が、そのような**過去世を引っ張ってくる。**

霊能者がこうやってみると、**過去世として見える。**あなたは、人を五十人殺しましたよって。見えるわけ。しかしその**記憶は**「**今選ばれたもの**」。**今の周波数がそれを選んだだけ・・**

何のために、こんなメンドクサイことをやっていると思う？何のためにこういう仕組みになったと思う？

私はこう考えている。**人生を運営、宇宙を展開**するには、**カルマが必要**で、カルマというのは**アンバランス。完全に調和が取れちゃっていると、宇宙には何も起こらない**ので面白くない。そこでちょっと**ズラす**。ちょっとだけ**傾けて差を作る**。**電位差**と同じ。**カルシウムとマグネシウム**があったら、電位差が生じるために**電気が生じる**から、ミネラルのある水は美味しい。電位差によって**電気が生まれる**せいなんですよ。

差がないものは、決してエネルギーにならない。過去生で何か**アンバランス**なことをやった人がいると、それが**燃料になる。**だから、**明智光秀**が**信長**を殺してしまったかもしれないけど、ああいうことをやってね、それが一応カルマとして残っている。ただ、**誰がこのカルマを清算するかは決まっていない。**

過去におけるアンバランス、エネルギーのアンバランスがあるのを**カルマ**という。その**カルマをここへ引っ張ってくる。**そして、**今のあなたの「固定観念」に合ったカルマを使い、私は光秀の生まれ変わりだ、**という風に見せかけておいて、だからこそ**落とし前をつけなければならない**と言って、**人生が展開するん**だよ。お疲れ様でした！

だから、地球人は**カルマを、今の人生のための燃料に使っている。**私は前からそう思っていたんで、この間 Infiny に会った時に「宇宙の存在に聞いてくれる？」と頼んで「こういう風に思うんですけど？」と言ったら「**その通りです！**」と。「**地球人向けには、良い説明ですね**」と言っていた。

この説明だと、**カルマは一応ある**ことにしておいて、**このように使っているよ**って。だとすると、**過去世というのは、毎瞬間、選び直せる！** ということでしょ？ なので**【ヒーリングウェーブ】**いうのが、がぜん**意味を持ってくる**わけ！

周波数に同調すると、違う「記憶」を引き寄せる！

なぜか？ というと、さっきまでボーッ！ としていて、**気分が悪かった人**に**【ヒーリングウェーブ】**で、**愛の音**とかをかけちゃうでしょう。「**幸福感**」「**恍惚**」でも良い。そうすると、**凄く愛に満たされた状態になる**ね？

突然、**さっきいたパラレル**が、**こっちにいた**と思っていたのが、ポーンと**こっちのパラレルに移っちゃう**んだよね！ すると、この時に持っていた**記憶**は、まるっきり**あの時と違う**。過去にそんな**トラウマはありません、悲恋もありません、結婚も離婚もありません**。

運命の相手と出会ってゴールインしました、とかさ。そういったふうに、**いくらでもやり口がある**から・・・

記憶が、**いくらでも在庫にある**わけ。**アカシック**と呼ぼうが何と呼ぼうが、**いくらでも記憶がある。**記憶は**非局在的**で、**個人性もない。**で、**好きなやつ**を選び出せる。

将来的にはね、**今思ったことイコール現実**になっちゃうので、**時間のズレがなくなっちゃう。**地球人がまだ、こういう**記憶を重宝**している理由は、**今に生きていなかった**からかもね。今に生きている人にとっては、さほど**記憶を重要視しない。**

今にいる習慣がなく、今が空虚だったら、**記憶に過大に影響**されてしまうんだよね。

6　必要なのは受容すること

「周波数」も「体験」もただ現れる！

十年くらい前までは、スピ系でもほとんどが、**外にある物理世界が自分の内面を制限している**と体感していましたね。ところが、なぜかもう時代は変わってしまった。今に生きることができるようになった人は、すぐに**思ったことが起きてくる**世界に移行していくでしょう。そうすると、もう**記憶に頼る必要もなくなる。周波数って毎瞬間、毎瞬間、送り込まれてくる**から。

ここがポイントなんだけど、周波数って、**自分で選び取らなくても大丈夫**なんだよ！

実は、**自分の自由意志**で、私はこういう人生を行くよ！って、**今決めた**とする。その**決める！ということ自体が、プルシャの周波数を感じて言っている**わけだから。**今の瞬間にその周波数がくる**ので、そう**したくなっちゃう**わけだ。だから、**実はプルシャが選択している**わけだ。**プルシャって、本当の自分**だからね・・・

「未知なる生起」とともに宇宙の愛を生きよう！

不意に降って湧いた欲求っていうのがありますね？　宇宙ってね「**未知なる生起**」って私が呼んでいるんだけど、**未知のうちに現れて来る**んです。このような**自由意志というのも、あなたが計画して現れる訳じゃないで**しょ？　**自由意志自体がそう**じゃない？　よく見ていたら、**降って湧く**んじゃないの？　いつも。ね、考えた結果じゃないでしょ？

宇宙全般「**未知なる生起**」だろう！　ってこと。計画的にプログラムされているわけではない。仮に、プログラムされていると仮定しても、いずれにせよ、**次の一手が見えない**んだよ！　宇宙というのは。そこが**ポイント・・・**

宇宙というか、**人生**というのは、**分からないようになっている**。**一秒先が絶対にわからない**。分かっていたら、こんな**くだらない話はない**ので。**エキサイトしない**。だから分からないように仕組まれている。プルシャ自体が、そういうことを好んでいる。「**未知なる生起**」なんだよ！　**一瞬後は**、**絶対に分からない**わけ。

だから、**分からないものを予測してもしょうがない**。**未来**のことを考えるのは、**馬鹿げ**

ている。次に何が起こるか分からないので、**子供のように楽しめる**わけじゃない？ あれ。**遠足**なんて、まさに**そのために行っているようなもの**じゃない？ **ルーティンワーク**だったら、次に何が起こるか分かるって、**ちっとも面白くない。何か分からないから、エキサイティング**なわけだよね？

毎瞬間型「周波数に任せる」生き方！

新しい生き方とは？ **毎瞬間型の「周波数に任せる」**という生き方！ 今、**周波数がくる、**次の瞬間にまた周波数がくる、次の瞬間、次の瞬間、「**一秒ごとに違う人**」なのよ。あなたは！ **まったく違う人！ 周波数、体験があなた。**来る周波数を、**全部それを利用して、受け入れてしまうのを「受容」**という。そうすると「**ありのままで完璧**」といった状態になる。

来た周波数そのものを生きる。だって、それこそが、この**プルシャが計画して、絶対にやりたくて、やっていること**だから。**プルシャが、そのまま自分**なんだから。だから**自分の自由意志は、プルシャの自由意志。毎回実現している**わけよ！ おめでとうございます！

（パチパチパチパチ！）

プルシャに「全託」！

本当の自由意志は、プルシャが持っていて、この人には、**何が一番いいのか？ 全部知っている。**それは、**プルシャに任せておいた方がいい！**ということ。「プルシャに全託」という感じだよね。それは、**本当の自分**なんだけれど・・・

昔、宗教は、**自分のことが高く評価できない**ので、自分ではない、大いなる**神様に任せる、**というやり方をとった。**イエス様**とか**お釈迦様**とか。しかし、もう今や、**プルシャって自分**なんだから。**「本当の自分」に任せる。明け渡す。**すると、**プルシャの選択が現れる。**まさに**自分（プルシャ）の自由意志しかない。**

唯一の自由意志による「選択」が、目の前に！

今、目の前で起きている行為が「選択」。「自由意志」の結果があらわれた**「選択」。今、目の前でやっていることが「選択」。**だから、**存分に楽しんだらどう？**っていう話だよね。こんなんじゃ嫌だ！ じゃなくて。

「**受容**」すると、**存分の楽しみ**がやってくる！「**受容**」**無しの楽しみってありえない**から。そうでしょ？「**嫌だ**」**と言って楽しめる人はいない**から。「受容」して楽しんだら最後、**ゼロポイントにいる**ことになる。

毎日**楽しんでいたら**、いつも**ゼロポイント**。そうしたら、次の一手、次の一手、**次の面白さがどんどん来る！** これはまさに、**波に乗っている！** という状態。要するに、サーフィンしているようなもので、**エネルギーの波**に乗っちゃっている！

ぶっちゃけ**プルシャ**って、この「**波自体**」だったりする。**全部用意されている。**だから、**心配なんか、一個もいらない！**

完全なる解決！・・・「全託」すら「全託」されている

良い情報を一つ！・・・あなたが「**全託**」しようがしまいが、**既に完全**に「全託」の中にいる。「全託」する気になるか？　ならないか？　も、本当のあなた、そのキグルミの中に入っている**プルシャが**、**発生させた自由意志**で決まる。

「全託」などしたくない！　と思う時も、完全に**プルシャ**の**意向**。突然「**やっか！**」と思い立つのも、**プルシャ**。すなわち、あなたはもう、**完全にプルシャなのだ！** 逃れることもあり得ない。どんなに悪びれたって、善人ずらしてみたって、**プルシャの決定以外は、**

絶対起きない！

あなたは、もうすでに100％「全託」している。**「全託」状態以外のことは、まったく起きえない。**すべては、**ただ起きているのだ。**そして、それを全て起こしているのは誰？・・・**プルシャ＝本当のあなた**である。**完璧なコントロールが、プルシャによって常時起きている。**

すべてのUFOの操縦法を知り抜いているプルシャを無視して「**あなた**」**の操縦桿**でコントロールしたら、**ケガ**をするかもよ！「**ゆだねて安心する**」だけでいい・・・そして、**感謝**があれば、万全・・・

受容すると、ゼロポイントにいる！

「**受容**」は**テクニック**ではありません。**あり方。**たとえば、**ヴィパッサナー瞑想などは、形から入っていく業法。**私が今話したこの意識の状態だと、**全て受け入れる**ことになるので、**目の前にあるものを存分に生きる**ことになる。**その時の感覚が、ヴィパッサナーで味わう感覚に似ている。**

ヴィパッサナーは、**結果だけを使ったプラクティス**かも。ヴィパッサナーでは、**自分の動きを見る、感情を見る。ヨガ**でも、同じやり方があるね？でも、あれは何のためにやっているのか？　結局、**キグルミに入ったプルシャの動きを真似ることで、自分を解放しようとしている。**「**受容**」と「**波乗り**」**の習慣**になるのなら、素晴らしいでしょう！

先の理屈が本当に腑に落ちた場合は、**結果的にそうなる**。で、**目の前に来たことを全部味わう**ことになるから、目の前のマグカップだって、普通よりは**ずっと綺麗に見える**でしょう！

聴く革命！

ここに、いい**練習**がある・・・

自分が**気にくわない、会社の上司**が来てペラペラ話したとする。昔だったら「**ウッセーナ！**」という感じで聞いていたのが、**受け入れる**ようにする。ちゃんと**聴く**んだよね、とりあえず・・・

同意はしなくていい。だけど、**ただ聴く**ようにする。ああ、この人は**そう思っているんだ！**と。すると、何が起きるか？　**初めて**、相手が**どういう人かが分かったり**する。今までは、あ、**こんな奴！**と思っていたのが、**目の前の出来事を完全に受け入れる**ようになると、相手が**何者かが初めてわかる！**初めて、**心が通じた！**という現象が起きたりするのね。

これね、**人間関係で試すことが、一つのいいトレーニング！**受け入れることが、**一番難しいのが人間**だから。**ネコ**とか**パンダ**とか**モモンガ**でも、もっと簡単に受け入れられるよね？**難しいのは人間**でしょう？自分が**気に入らない奴が自分を攻撃**してきた時などは、**逃げるか、攻撃したいか？**どちらかになるけど。そういうとき、**地球人があまりやったことがない、**この**「受容」という練習**ができるんだよ**・・・**

私はこれを二年くらいやってみたけど、**凄く面白い現象ばっかり起きた。**一人女の子がいてね、相手がギャンギャン言うので、**離婚したくて十数年間我慢**していた。ところが旦那が、絶対に俺は**離婚しない！**と。それで、私のこの話を聞いた後に、じゃあ試してみよう！となったらしく。旦那がガンガンガンガン、お前はとんでもない母親だ！とかと言ってきた。その時に、**全部聴いた**って言うんだよ。聴くと言うのはね、**聴いたふりするなんて言うのではダメ**だよ。聴くの、**ちゃんと・・・**

ただ聴く・・・

受け入れるわけ。受け入れると言うのは、**同意するというのとは全く違う。**ここは注意してね。同意して、**その通りです！　とか、そういう嘘を言っちゃいけない。何が言いたいか？　を、ちゃんと聞く**んだよ。ああ、**この人はこうなんだな！**　と、**無心になって**聴く**・・・**

その結果「**ありがとう**」**って！　それで終わりにする。イエスもノーもなしでただ**「**ありがとう**」。で、彼女はそうしたらしい。そうしたら、何が起きたと思う？「**わかった、判を押すから**」と言って、**離婚届に判を押した。**あとで凄い感動してね。今は**ラブラブの相手と新婚生活を楽しんでいる。**

ただ聴けない理由は？

今のケースだと「**聴く**」という行為が「**受容**」することにあたる。この「**聴く**」というのは、**地球人はやったことがない**と言われている。**人の話をちゃんと聴いている人なんて、一人もいない、**と。**自分の記憶の雑音**を聞いている。あるいは相手の話を「**解決しなければならない問題**」と受け取って、どうやって解決しようかと考えたりする。自分が**何て言い返そうか？**　とか、**悪く思われないようにしよう！**　とか、この人は**自分のことを尊重しているのか？**　とか、そんなことしか考えていない。

だから、**ちゃんと話を聴くという習慣がない。（やばいよ！ 地球人）**理由は「**受容**」の**習慣がない**から。全てを受け入れるのではなくて、何か「**抵抗**」**があるわけ**、地球人って。だから受け入れられない。

なので、一番難しいんだけど、**人間関係**でやって、もし相手を受け入れられるようになると「**受容**」**できる人間**になる。そうすると、**一事が万事**で、その**最悪の相手すら受け入れたんだから・・・**

今までは、**受容しない癖**がついているので、**良いものすら受容できない**！ 酒飲んでも、**存分には楽しめない**し。受容し始めると、**何でも受容**になってくるので、実に面白い！ 今、**目の前にあることが面白い**んで、**過去とか未来のことなんか考えている暇がない**！

「**受容**」だね。**相手を認めることでもない**んだよ。**相手の意見が正しい**、ということでもない。**ただちゃんと聞いて、それで話が終わる。**人間おそるべしでね、**こっちがちゃんと聴いているかどうか？ 相手はちゃんと分っている。**聴いていない時は、**絶対に見抜くよ！**人って。いくら聴くふりをしていたって、**あ、聴いてないな！ とすぐ分かる。**誤魔化せている！と思っているだろうけど、**全部相手に見抜かれているから・・・**

受け取らないから、怖かった！

相手が言っていることと、自分が思っていることを、同じレベルで「受容」する。すべてを「受容」する一環で、**相手の話も聴く。**同じ**出来事としてみる。宇宙が起こしている出来事**なので、**自分の感情、想念すら、そこに含める**んだ。だから、**全部含めて、ただ聴く**わけ。**ただ聴くこと＝「受容」**。

そうすると、相手の言葉から**意味が消えうせる。**相手との**距離が無く**なるから。**怖い！のは、相手との距離から生まれていた**から。あなたを**怖がらせるエネルギーが、消滅する。**それは、**受け入れたから・・・**

ただ受け取る、ただ聴く、そうすると、ちゃんと**受け取ったものは力を失う。**だから、自分に**影響しない。**普段は、**受け取らないので、化け物になってしまう**わけね！

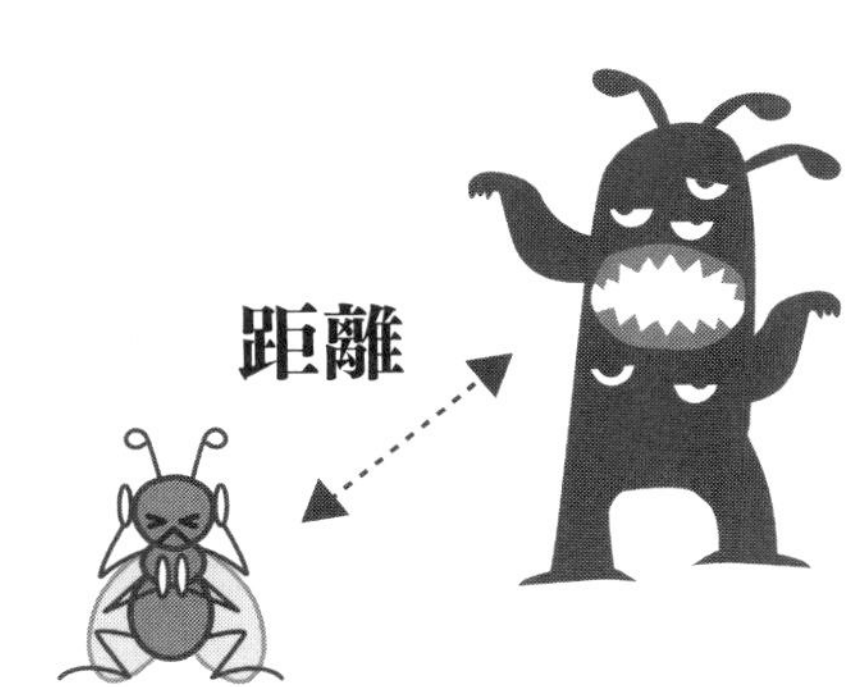

あなたを怖がらせるエネルギーはどこから来るのか

受け取る習慣が身に付くと、どうなるか？ **初めて美しさを感じる！** というか、何を見ても、**素敵、感動する、美味しい！ という感覚が深まって来る！** 人生の**魅惑と陰影が深まって来る！** 道を歩いていても、**可愛いネコだな！ 可愛い犬だな！ 可愛いミミズだな！ とものすごく可愛く**感じられる！ 「**受容**」**すると、喜びが増幅する**んだよ！

地球人が、**可哀そうだとか、大変だった！** とかいうけれど、それは、**受け取らない人生**を送っているので・・・**受け入れる**と、そうでもない。

受け取らない人生は手放そう！

あなたのことを愛してくれる人はたくさんいる。 我々は皆、**彼らが愛している程は自覚しない！** のだそうだ。**俺なんかダメ**だと、たくさんの人が好意を持っているにも関わらず、そういうのは**目に入らない**。**受け入れない癖**がついている。

そもそも、**自分がプルシャだ**、というところを見たら、受け入れるも何もない。**すべてを含み持っているのが、プルシャ。** これも、チャネリングの情報で、我々は、すべてのすべてで、**完全に完成しきっていて、天命を果たし終わっている**、と。

ミッションはどうなるのか？と聞いたら、**生まれた途端に達成されている。**果たす努力は、必要ありません。なぜか？プルシャがあなたの体に入った途端、もう**何が起きるかは全てわかっているし**、それで、この人生で**経験したいことはすべて経験できると決まっている。**ミッションは**達成されることに決まっている。間違いは、ありえない！**と。

ミッション・ポッシブル！

ミッションを果たさないことは、あり得ない！

何かハー**ドル**があって、**テスト**があって、それを**達成しなくちゃならない**なんてのは、**人間が勝手に作った**だけ。**そんなのは宇宙には無い！**だから、もうすべて**ミッションは終わっている。**後は、**余生・・・**

赤ちゃんなんかの場合は、**最初からそんな感じ**なんだろうね。生まれた時から、分かっていたと思うよ。だから、**あんな顔しているわ**け。ところが、途中から**親が変なことを教え始める**から。お前は**こうしなきゃいけない！**とか、**いい大学に入らなきゃいけない！**とか、余計なことを言っているから、ああやって、**条件付きの人間**になっちゃう。**もとも**

と完璧に、それでいい！という話。

地球人の心を縛っていたものは？

最近、良く話しているのは、**人間以外の動物が、全部、何一つしていない！**ということ。**猫**も**犬**も、給料もらいに行ってないでしょう？　**仕事に出かけないでしょう？**　一番小さな**水素原子**ですら、**生活費を稼いでからクルクル回っています！**という話を聞いたことがない。あれは、**最初からクルクル回っている**わけだね。

というわけで、**人間以外の存在は、誰一人働いていない**んだよね。なのに、**まったく問題なく、幸せそうに生きてます。**これを見たときに、ちゃんとここで**瞑想すべきこと**がある。これは**一体どういうことなんだ？**って。**猫**も**ライオン**も**毛虫**も**微生物**も、**誰一人働いていない**のに、**何であなたは働くんですか？**って。

必要なことが起きるだけ！

この間こういうことを聞いたよ。**かなり高い魂がね、悪い親玉になるために生まれて来**

る、と。それは**役割のため**だと言っていた。その人が**ヒトラー**みたいに働くことで、**ドラマが完結**するんだね。

全く異なるケースでは、**昭和天皇**を、海外では、あえて**戦争犯罪者**とよぶ人もいる。しかし、**昭和天皇**でなければ、**あの大役は果たせなかった**、とも。**過去の日本のカルマを「敗戦」で一掃し、世界平和に働ける自由な日本の礎を創った**、と。

だから、**自分がこんなことやっちゃった！あんなことやっちゃった！**というのは、**本当は無い**。全部**それしかできなかった**わけ。だから、**過去に自分がやった行動**は、**全部そう**。それから**他の人もそう**だから。**他人のことを批判したら、同じことになっちゃう**から。他人も**それしかできなかった**、ということだよね。**身近な人**から、まずはそう見てみて？

だからよく、**何であいつは俺に、ああいうことしか言えないの？**と思う人がいるじゃない？それは、その人になってみると、**それしか言えない**のよ。ピッタ、カパ、ヴァータで**初期設定が決まっていて、端末はもう動かせない**。そこに**何が起こるか**は、**あっちが決めている。**

突然、怒りとか悲しみとかが来るんだから、その人に。**本人はコントロール**できない。で、不安になったら近くにいる人に当たる、という性格なんだから。生まれつき、**端末がそう**

決まっているんだから、**それ以外できない**。ただ、**反省してそれを克服する**、も**起こりうる**。正当な、それは、まったく**それで良い**！ **中に入ったプルシャが**、**経験したくてやってる**。**適切なことがいつも起きている**。

自分の「想念」「感情」は無い！

だから、先ほどの、**自分が出してしまった想念の反作用**で、色々と**悪いことが起こる**という、「**自分**」**の自由意志**というところがポイント。そう思っているでしょ？ だから、**自分が出したもので**、**この結果が起きた**！ と思っているんだよ。なので、下手に**引き寄せとかやっていると**、**自分を咎**(とが)**める**わけよ。

問題は、**出した想念が返ってくる**のは間違いないけど、「**自分が**」**っていうところがおかしい**んだよ。

出した想念が戻ってくるのは正しいんだけど、「**自分**」**の想念ではない**。さっき言ったように、その**想念は**、**出るんだから**。**宇宙的出来事**としてここから出ちゃう。さっきの**ピッタ**、**カパ**、**ヴァータの初期設定**によって、こういう事件が起きた時には、**悲しむ人なのか**？ **怒る人なのか**？ **抑圧する人なのか**？ というのが、**あらかじめ決まっている**。とすると、

本人の責任じゃないじゃない。

不可抗力というか、**機械的にできちゃう**わけ。だけど、**そこの全体を見て喜んでいるわけだから、自分の本体、プルシャ**は。「また怒っちゃったな」みたいな感じでね。中に入って、**苦しむのを、楽しんでいる！** 実は、まったく楽しんでいる。**楽しんでいる！と白状しちゃったら？** そこから**抜けやすい**から・・・

無罪放免！

ただ、**自己改善**とか、**努力**とかが流行っているからね、地球では。**そういうことやって楽しんでいた！** ということも確か。「**個人**」**を変えて、直すゲーム**を。ここ何千年かは、しばらく頑張っていた。

だけど、今頃になって、もうそろそろ**無罪放免**というか、**卒業の時期**に入っているので、ちょっと**違う話**を聞きに来ているわけ。**本当は、全部、あなたは悪くなかったよ**って・・・

7　パラレルワールドを飛ぶ

散々「あなたが悪い」と言われて、**自責の念でボロボロ**になった人は、**自己処罰するか**ら、それこそ**体をこわしてしまったりする。**

だから、本当に**洗脳が強かったね**。でも今、こういうことが本当だともし分かった場合、**かなり短期間でリハビリする**と思うよ。「**自分の問題じゃないんだ！**」ということが分かれば。それが、**旧**(ふる)**い時代の呪縛から解放**されるための、**第一の鍵。**

解放の第二の鍵は？　さっきの**パラレル**なんだよね。**パラレルワールドを飛ぶ、移動させる**のが、結局は**周波数の違い。**ということがわかると、もともと**毎瞬間、周波数が違っているから、別に飛んだってかまわない**わけ。というより、**すでに毎瞬間飛んで来ていた。気づかなかっただけ！**

パラレルワールド移動のポイント

あなたが、令和２年２月22日２時22分22秒（A）にいたとします。**一秒経ったら（B）、もう周波数が違います。**あなたのです。本当は、**あなたの中で周波数を変えた**ので、**一秒の移動が出来た**のです。

あなたが、東京都世田谷区の研究所のセミナールームの一番前のピンクの椅子に座っていた、とします(E)。**１ミリ移動**しました(F)。**もう、周波数は変わっています。**あなたのです。本当は、**あなたの中で周波数を変えた**ので、**一ミリの移動が出来た**のです。

時間、空間の中をあなたが移動したのでしょうか？　宇宙的にみると、**あなたの周波数を変えたので、新しい時間や場所が、あなたに寄って来た**だけです。あなたが移動したのではなく。いずれにしても、**一秒、１ミリの違い**でも、**あなたの周波数は変わっています。想念感情**

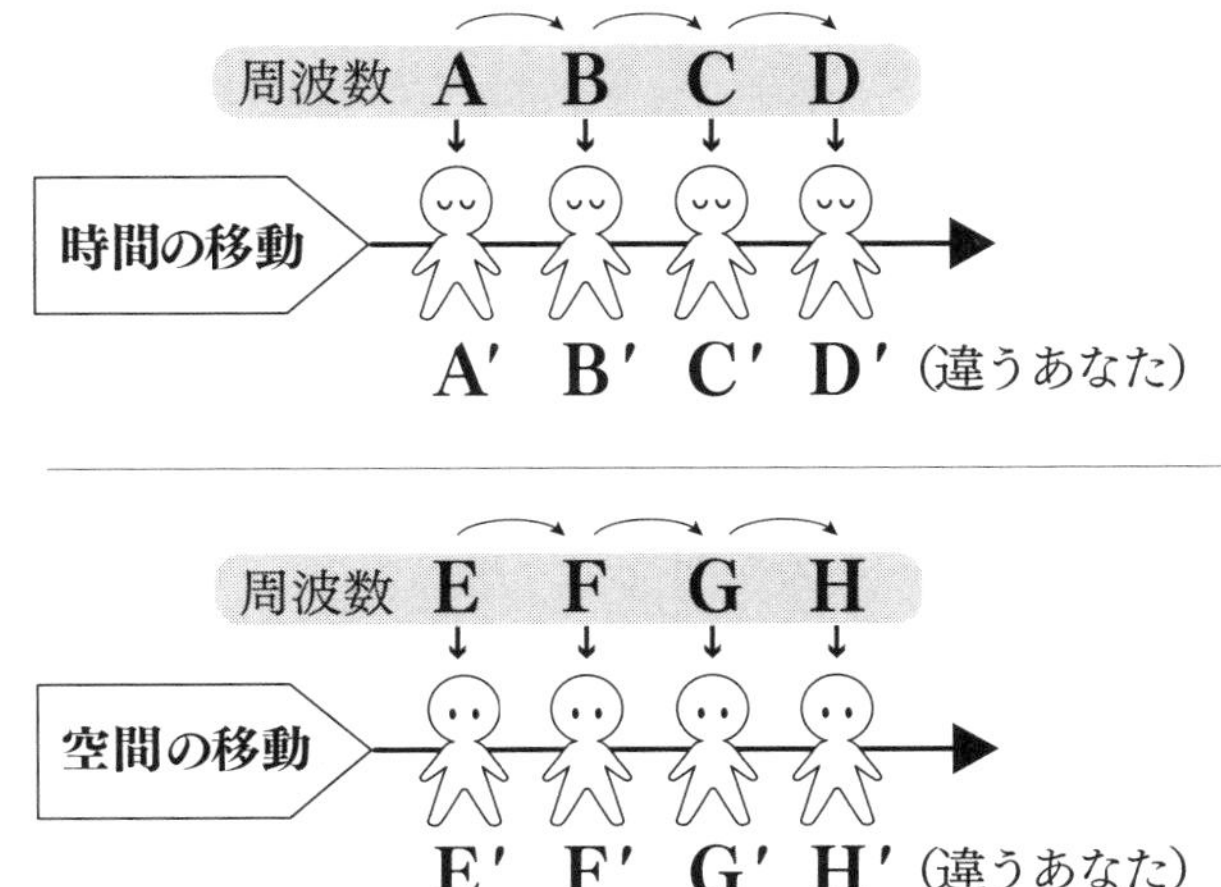

周波数が変わるから時空を移動できる

の違いでも変わります。

さて、**結論は？** あなたは、**今日まで既に、パラレルワールドは、飛び放題だった！** ということです。**ほんのちょっとの周波数の違いが、パラレルワールドを選びなおす**からです。

けれど、**意識的にやる**ことには**慣れていない**ので、**気分を変える**といったって、そう簡単に変わらないでしょ？

さっきまで**パートナーと喧嘩**していたのが、**はい、気分よくなって！** と言ったって「**ウッセー！**」ということになっちゃうでしょう。なので【ヒーリングウェーブ】で「**愛**」の音とか「**日常的リラクゼーション**」とか、そういった音をかけるよね、そうすると、それまでの波動がホワーっ！と抜けていって、ああ、何だか**ラブラブみたいになって来た**（笑）となる。するともう、**ポーン！と**、**違うパラレルワールドに行っちゃっている。**

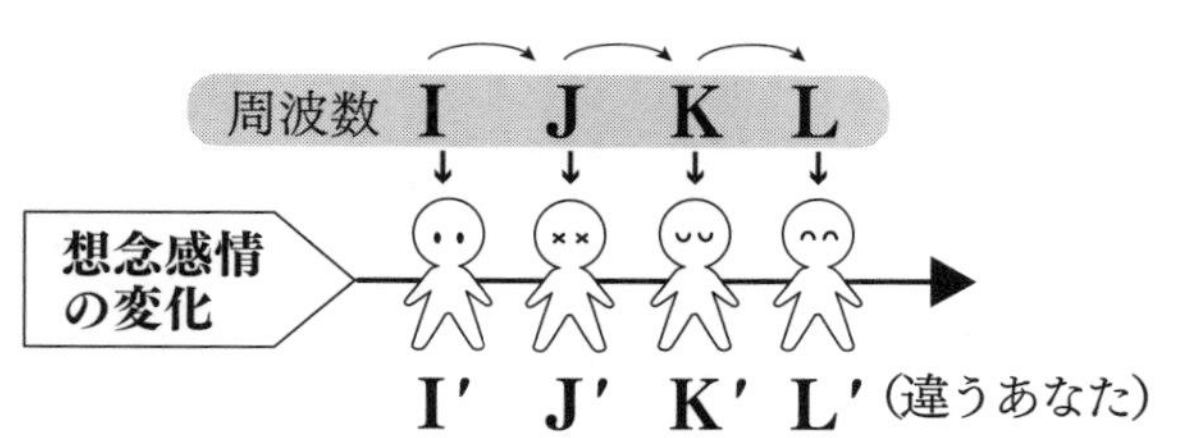

周波数が変わるから想念感情が変化する

そうすると、さっき持っていた記憶と違う**記憶**になっちゃう。そうすると、さっきの出来事が、事実上、**有っても無くても変わらない**とか、**事実上ない**とか、**思い出しもしない**とか、**気にならない**！　となってくる。

過去が変えられるか？　平行宇宙への量子的飛躍！

私は、最近**3つの体験**をしました。**連続で**。**過去が変わるかどうか？**を、この【**ヒーリングウェーブ**】で試してみたんです。

11月28日に、**携帯を無くしてしまった**。**新潟**に行って、新幹線を降りたらすぐに、携帯が無くなったのが分かった。取って返してみたが、もう無い。それから**二日間**、ずっと**電話をかけっぱなし**で、**日本中のJRに問合せた**。どこからも**出て来なかった**。それで諦(あきら)めたんだが、一つ実験をしてみようと思った・・・

ちょうど**28日**には、もう一つ変なことがあって、テーブルが倒れて来てね、私の右の親指の上に落ちた。**骨折しそう**になったわけ。イテーッ！　と。この、おかしかった11月28日に向けて【ヒーリングウェーブ】で音を送りました。

「**11月28日の吉田一敏**」と書いて「結界」という四角い線で囲って、スピーカーから送った。そうしたら、約三十分送った時に、何かね、**携帯が出てくるか？ のような気持ち**に変わっていた。それで、一時間後にこれが終わったので、**新潟駅の遺失物預り所**にかけてみた。「**ありますけど！**」「ブルーのジーンズ色のやつでしょ？」って。昨日、**ズーッ！と一日中かけて、無いと言い張っていた**部署がだよ、こともなげに言って。それで、取りに行った。

ありえない解決？

帰京した12月1日。そうしたら、**もっと大事件が起きていた。**研究所の**一番大事なハードディスク**が、すっぽり無くなっている！ ノートパソコンがあるんだけど、そこから**すっぽり抜けている！**

警戒厳重な研究所なのに、どうやって**抜き取った**のか？ 不思議でしょうがない。でも、取られてしまったんだから、**戻るということはあり得ないよね？**「**気が変わったんで、返しに来ました〜！**」（笑）とか持って来るということはあり得ない。すごく困ったな！と。ビデオも全部入っていたし、**貴重な情報**もたくさん入っていた・・・

普通はあきらめるところなんだが、**担当**に聞いた。「**あれ、やったか？**」と。「何をですか？」というから「これだよ」と。「**12月1日の〇〇〇（担当者名）**」と書き、「結界」張って、やってみな？といって、「**愛**」と「**金銭**」の音をかけたのよ。どうなったと思う？

翌日、出てきた・・・

この状況で、**考えられる？**戻ってくるということが？　彼が言うには、パソコンが動かなくなったので、見てみたら、**ハードディスクが破損**しています、とディスプレイに出た。それで中を開けたところ、**ハードディスクがすっぽり無い**と。それで**盗まれた**と思った。

しかし、それが**出てきた！**　結果から言うと、パソコンを修理に出して初めて分かった。この機械には、もともと**ハードディスクが入っていなかった**、と。ハードディスク無しで、全部**データはＳＤカード（デスクトップはこの中にある）に入って**いた。だから何も**失われてなかった。**ハードディスクが破損したと表示したのは、**機械の間違い**だったわけ。

思い違いだと言えばそれまで。しかし、**あの時点では、スタッフ全員、解決策は全く思い浮かばなかった！**スピーカーで音を送る作業をやっていなかったら、**そういうことになったんだろうか**？

過去のクリーニングが起こるのか？

その直後、研究所があつかうA**という技術**に対して**重大な問題**が起きた。この技術には**歴史**があり、**複雑な経緯**があった。それが原因してか、**開発がストップ**されそうだった。このままだと、**せっかくの技術が世に広がらない！**

それで、書いてみた。個人名を書くのをやめて「**Aテクノロジーに関する全てのカルマ**」と。**宇宙に「カルマ」は究極的には無い**が、その方が、**人間の脳が習慣的に納得しやすい**から。そして、四角で囲って、スピーカーから「**愛**」と「**金銭**」を当てた。

数日して、**その問題は無くなった。**かえって、あってくれたおかげで、**問題点が明らか**になり、**よりスムーズに事業を展開**できるようになった。・・・

ということで、全部解決したわけです！　基本的に、**音を、全部過去に飛ばした**形だった・・・

ホ・オポノポノとの類似点！

今の三つ目のケースでは、「**上級ホ・オポノポノ**」の構造とよく似ている。「**ホ・オポノポノ**」って、ヒューレン博士の、**四つの言葉**を使うものが有名ですが、正式には「**12のステップ**」で**祈り**をするんです。

それは、**潜在意識の記憶、誰かとの間のカルマ**とか、**自分が今やろうと思っていることの障害**となっている**全ての記憶**を対象にして、自分の**ウニヒピリ**（ロウセルフ、潜在意識の霊）に、それらの記憶を**集めてもらう**よう頼みます。それを今度は、**アウマクア**（ハイセルフ）経由で**創造主に送って、潜在意識の記憶を、創造主に消してもらう**、という構造の**祈り**になっている。

だから、「**ホ・オポノポノ**」**でするのと同じ**ことを、この【**ヒーリングウェーブ**】**を使ってできる**んだな？　と思いました。

光の輪から、地球に対する愛の表現！

宇宙人に聞いた。【ヒーリングウェーブ】とは**そもそも、何なのですか？**すると「**地球に対する愛の表現**」と。次にね、**誰が作ったんですか？**と聞いたら「**光の輪**」というんだよね。

「**光の輪**」というのは**宇宙人**だろうと思って、**一体どういう種族ですか？**と聞いた。そうしたら「**1種族や2種族ではありません**」。**たくさんの星が、文明が参加**している。しかも「**かなり長い期間準備したものです。**」と言った。（以上**Infiny のチャネリング**）

宇宙から地球へ！

それだけ、**たくさんの宇宙人が手を組まなきゃいけないくらい大変な仕事**だった、ということですね。

【ヒーリングウェーブ】愛用者の素晴らしいギター奏者、**小野さん**の知り合いの女性。かつて**マナーズ博士の研究所**を訪れたそうです。そこには、**宇宙人**が来ていました。**スターウォーズ**に出てくる身長が低い**ヨーダそっくり**だった！と。いきさつを知らないその女性は、気持ち悪かったようですが。**宇宙人が直接指導に来ていたの**かも？この話が事実なら。

8　地球おとぎの国化プロジェクト

今、**祈り**のムーブメントがあって、色々な人が色々なところで**祈り始めています。**私自身も、**三十年以上前**から、**48か国で祈りによる平和活動**をしてきました。ヒーリングウェーブも、銀河連合によって用意された、そういう流れの一つだと思います。

祈りのパワー、可能性！

今年も**ウクライナに行く**んですが、この国は**27回目**なんです。向こうの人たちと、**平和のセレモニー**をやって来ました。世界二〇〇**カ国の平和を祈る**んだけれど、20回延べで、**三五〇〇〇人**ほど参加してくれました。**軍人と子供とチェルノブイリの被爆者**と一般庶民

と・・・

　そうすると、**明らかに影響がある。**みんな、**ポヤルカ市の市長さん**なども**人生で初めて！という感動**をしたり、神秘的なことを感じる新聞記者も出る。そのように、**祈りというものが、今一番、究極的に必要なもの**だと思います。ところで、**祈りと、この音というのは、そんなに違いません。**

祈りの現代版？

【ヒーリングウェーブ】は、**祈りの現代版**だとも言えます。**日本人**は、**令和天皇**を見てもわかるように、ずっとお祈りしていますよね。**一年中お祈りをしています。**

　このように、**日本人**と

ウクライナでの平和セレモニー

いうのは、**遠隔での祈りの効果を信じ切っている**わけです。**遠くに飛ぶ**と信じなかったら、**祈りなんて誰もやりませんから**ね。

日本人の素晴らしさ！

この技術は、**イギリス、ドイツ**では**病院**で使っていますが、**局部治療がもっぱら**です。ところが、日本に来てから、今うちの会員さんは、ほぼ**全員**「**遠隔**」**をしています**。これで**効果が出る**ことが分かったということが、**ノーベル賞もの**だって、何人かから言われました。

確かに、**日本人がノーベル賞っ**！ていう感じ。これで人が改善するとしたら、**革命的**だと思わない？

改善は、**三段階**あった。**イギリス、ドイツ**では、いまだに**病院に行って**やってもらわないといけない。それが【ヒーリングウェーブ】になってから、**個人所有**になった。**自分の家で、勝手にできる**ので、**生活習慣**になった。

そしてさらに、プラス「**遠隔**」ができる！ということなので、**ここにいながら、他の地域が良くなる。**

「遠隔」の革命性！

個人が良くなるなら、**集団はどうなのか？**という実験を今やっている。そうすると、**原住民**の、**立ち退き**を迫られて困っている人たちがいたり、**コアラ**が**火災で焼け出されて**困ったりしているよね？**オーストラリア**の、そういう問題が起こっているところに、**祈りのエネルギー**を飛ばすとか、そういうことも可能！・・・

これが出来るとできないとでは、まるっきり違うでしょ？最近、これを買った**八十歳**のお姉さんが、買ったその日から、**ダイエットコース**といって、太った人ばっかり集めて**「遠隔」**をやっているし、**ガンチーム**と言って、**何十人**も**ガンの知り合い**がいるんだよね、それを書き出しておいて、**毎日、朝から晩まで、ボランティア**でやっているの！**マザー・テレサみたいな方**だね。だから、**そういう習慣がつくので、この技術はいい**なと思ったんですよ・・・

【ヒーリングウェーブ】の波動で、だんなさんの**暴力的な言動がなくなった！**という体験談もありました。それが**「遠隔」**で効果があるというのであれば、**無条件の愛の思い**を出せる人が、**被害者や加害者**のために祈って**「遠隔」で波動を送る**と、**いじめとか、自殺**

とかといった社会問題の解決になる可能性もある。

いじめというのは、**目に見えるところ**だけに原因があるわけじゃない。**いじめる側**にも、**いじめられる側**にも、希望した**体験**がある。でも今は、**変わる時期！**

それを**規則**だとか、**形**で抑えようとしても**根本解決にならないし**。そもそも**個人の想念のコントロールだってできない**わけだから。それがこういうテクノロジーで**サポート**できるとしたら、**画期的なこと**だと思いませんか？

「遠隔」効果の原理は？

テレパシーというのは、**他の宇宙ソース**でも言っていたと思うけど、**テル、エンパシー**の省略。**テル**はテレフォンのテル、**離れている。**エンパシーは**共感**。だから、**遠隔共感**のことです。**同じことを考えちゃう**、という意味ですね。

　ということは、**相手の思っていることが分かる**、という意味じゃなくて、**お互いが愛に満ちちゃって、同じことを感じちゃう！**ということです。愛とは、**不分離。一つであること・・・**

自分の愛する人がいたとする。彼女に愛の音を送りたいとするじゃない。で、愛の音を送って、相手が良くなりますよね。そうすると、**ここそこで同じ音になります。**そうすると「**遠隔共感**」になるんです。だから、**テレパシー**と似たようなことが起きていて、**二か所で響き合っている**ように見える。

アストラル界、エーテル界には距離が無い！

だけど、**空間がない**んです。**アストラル界とエーテル界**って。空間が無いということは、**彼女と自分の間が無い**ということ。だから、**同じ場所で起きている**ことになりますね？距離がないと、何が残るか？「**周波数**」**しか残らない**のです。「**周波数**」**が合った**場合は、**縁のあるところに影響する**と考えられます。

だから、**一か所で響かせておく**と、必要である自分と彼女のところに同時に伝わる。それを**共振・共鳴**と人間は呼んでいる。これは、**空間が離れている**と思っているから**共振**という。高次元的に見ると、**一か所で起きている。**単に**愛が響いている**だけ。それを**二つに翻訳する**と、このように見えるのかも。

テレパシーもそうで、**心が分かっちゃった！**とか言っているけど、本当は**同じことを考えた**だけかも。**同じ想念が浮かんできて、それを二つに分けている、**という事かもしれないんだよね。

地球のネガティブ想念の浄化！

先ほど、この装置を使うことで、**個人の意識進化の課題をある意味でバイパスしてしまう**という話をしました。それだけでなく、この装置を使って、**地球に溜まっているネガティブな想念を浄化**できる。一体そんなことが罷（まか）り通っていいのか？

地球の変革に関して言えば、**凝り固まった考えは必要ない。瞑想**だけだとか、**祈り**だけだとか、色んな人がいるじゃない？うちのやり方は、**微生物**は何とか菌じゃないとダメだ！とか。でも、**これだけ！と言っちゃったら、何かかっこ悪い**よね？

それに対して、こんなやり方、私は最初ね、これは**ズルじゃないか？**（笑）と思ったけど。こんなやり方で簡単に**若返っちゃったり**、**金銭**が入っちゃったり、**前立腺**がどうしたとか、**そんなんで良いのかよ**？という感じがあった。

けども、今や**シャレっぽく**感じるよね。**まあ、良いじゃねえか！**と。**あなたの中の「超越」が、ひき寄せたんでしょう？**と・・・

でも、よくよく考えたら、銀河連合は、**日本人に期待**していることがある。このテクノロジーは、本当は、ただ使う人の個人的な幸福のためだけに与えられたものではない。そう思うのです。

フラワーオブライフとは意識ー最初に使うのは日本人？

最後のチャネリングを見てください。驚きますよ！【ヒーリングウェーブ】が、**日本に与えられた**のは、**地球の波動を上昇**させるため。【ヒーリングウェーブ】を使えば、地球のための**ライトワーク**が、特別な**スキル**がなくても、思いさえあれば、誰にでも、簡単にできるようになる・・・

核になる人が、自分の**エネルギー体の波動を上昇**させる。**動くイヤシロチ**になる。ピュアーな、**無条件の愛**の思いで、**愛の音**を流す、**祈り**の活動をする。すると日本に**フラワーオブライフ**ができる。目に見える活動ではなくて、**目に見えないエネルギーレベルの活動**。それを、**銀河連合**が後押ししている。

【ヒーリングウェーブ】は、**他の銀河**さえ参加して実現した**超銀河的プロジェクト**。銀河連合から、**宇宙連合**を通し、**地球**に、そして中心地、**日本**に実現させたテクノロジー。

人によっては**何万転生もの間、ネガティブな感情体験**を使い、**エゴイズムを超えて、愛である自分の神性を発見しようとしてきた魂のカリキュラム**は、もう**卒業の時期**。この地球では、美しくも**汚い思い**を出したり、**争いの思い**を出したりして、みんなさんざん**勉強させていただきました**。**地球さんありがとう！**　もうみんな**卒業**だから、お世話になった教室を、みんなで綺麗にお**掃除**しましょう！

フラワーオブライフ

もちろん、引き続き**低波動**をまき散らす方もいらっしゃいますが、**それは、全くその人の自由**です。けれども、地球は遠からず**次元上昇**してしまいます。みな、自分の周波数にあった世界に移行していきます。

今はまさに、その**行き先を決める時期**。おそらくこの五年十年で、地球の人類の大部分が「**受容性**」に目覚めていくでしょう。それを**加速するには、最も魅かれること、魂の情熱に生きる**こと、**世界平和、地球生命への祈り**につながる生き方を・・・この**地球と人類が創られた時に鳴っていた、愛の音**にもどるために！

【ヒーリングウェーブ】に惹きつけられてくる方は、**喜び**と**自由**に**共振共鳴**し、**愛を宇宙的に増幅**していく方々なのです！

封印された音の力が蘇る！

古代のエジプトの**ハトホルのように**、音系の覚醒のやり方は無かったわけではない。ただ**音のヒーラーを育てるのは簡単じゃない**。でも、この**【ヒーリングウェーブ】だとメカなので、色々な意味で効率的**です。

人間がやった場合は、さっきも言ったように、**愛念**なのか**邪念**なのか？　みたいな問題があります。**想念感情は、そもそも安定しない**。また、受ける側の、相手が同意しないと送ってはいけないだとか、色々な問題が出てくるよね？　ところが、これはメカなので「**周波数**」**が安定**しており、相手の意識にはあまり関係なく、とりあえず送れる。

そして、送る側に、**愛がある場合**はどうなるか？　**掛け算になる**という。増幅しちゃう！　**邪念**を出した場合はどうなるか？　例えば「**愛**」の音は送る。しかし、**俺の女にしてやりたい！**の邪念つき（笑）。普通は**マイナス**になっちゃうよね？　ところがこの場合は、**影響がない**。×一倍だ。

愛に慣れるための「音」！

それは非常にいいということ。だけど、私から言わせると、この【ヒーリングウェーブ】を使っているうちに、**自力でやる気になってくる**という、要するに、**癖になるんですよ！**　**愛に満たされる癖**とか、**リラックスする癖**とかがついて来る。

アーッ！　**目が楽になった！**　そういう、**自分の周波数を変える癖**がつく。熟達者は、意図的に**パラレルを飛ぶ癖**がつく。そしてこういった理屈を聞けば聞くほど、**過去には何の力も無い、過去は今創れるんだから、何の意味もない！**ということで、**どんどん自由になっていく。**そこがミソだと思うね・・・

いつも**不味い水**しか飲んでいない人は、**美味しい水の味が分からないよ**ね？　それと同じで、いつも**真っ黒な想念**に染まっている人は、**綺麗な想念**になりましょう！　といったって、綺麗な想念になったことがないんだから、**感覚がわからない**（笑）。**いい波動を味わう**体験があれば、**自分でそこに行ける**ようになる訳ですからね・・・

「音」こそが、封印されて来た！

過去でこの装置のコンセプトと似ている仕事をしている一人は、ピタゴラスです。**ピタゴラス**は数学者だけど、**音楽と数学を合体**させたような、**幾何学的**な仕事もしています。彼らはね、こういったことを**知っていた**と思います。**528ヘルツ**とか、数値までわかっていたかは別として、彼らなりの理解があったと思う。あれから**二千年の間**、何でみんな知らないの？　といったら、明らかに、**封印されている。**しかし時が満ちた今、周波数の秘密の公開は誰にも止められないでしょう。

「音」を正当に、平和的に響かせる！

学校でも、お昼の音を鳴らす時は、時報は**440ヘルツ**なんだけど、あれには問題がある。そういうのをやめて、自分ら独自の、**シンギングボウル**を買って来てやるとか、**琵琶**や**カリンバ**、**ライアー**、または**サントゥール**を響かせるとか。いろいろなツールが可能だよね！

プールに「**愛**」や「**アトピー**」の音を転写させたり、**常時、校内に**「**愛**」系統の音を流しておく手もある。子供たちの**精神安定、発達、創造性**に、**未体験の地平**が生まれることでしょう！

会社の音も、普段、こういうのを静か〜に、流しておくとか。すると、業績も上がるし、知恵も出てくる。国会でも、国際会議でも、ずっーと流しておくと良いでしょう！

調和した音を響かせることで、高次元からのメッセージ、他の天体からの英知のダウンロードも受けやすくなるでしょう！

そして何よりも、自分の魂のブループリント、それを思い出し、共振共鳴する至上の人生が送れるようになるでしょう！

Healing Wave

銀河連合が
地球にアクセスできるよう
人類の厚い集合意識を
多次元化したい。

銀河連合からのメッセージ 1

魂の周波数が表に出てくる時代！

Infiny vs 吉田

Infiny (Hiroko Infiny)

人生途中で他の星の魂が入ってきた**ウォークイン**

エレメンタル（妖精など）との**ハイブリッド**の可能性も

高次宇宙存在のチャネラーとして超一流

光

Infinyがチャネリングすると訪れる**高次宇宙存在**

カタカムナや**ヒーリングウェーブ**を創った存在もあらわれる

個人でも集合体でもあり、私たちの**高次の自己**ともいえる

光　（Infinyのチャネリングを通して）私たちは、あなた方と同じです。意識体であり、そして精神体です。光であり、私たちはヴァイブレーションです。

【ヒーリングウェーブ】についてですが・・・【ヒーリングウェーブ】を使うことによって、魂の周波数が表に出てくるようになります。それは、顕在意識、潜在意識の統合でもあり、魂とハートの統合にもなります。皆さん、どうぞ魂、ヴァイブレーションに素直になって大丈夫です。そんな時代が来ています。

吉田　【ヒーリングウェーブ】を使っていると、ピュアーな人がよりピュアーになる傾向がありますね？　これは、何か音の性質と関係があるんですか？

光　その通りです。音の周波数が、細胞、オーラと共鳴してゆきますから、ますます嘘がつけなくなります。エネルギーがそのままに見えるので、ピュアーと感じるのです。

吉田　使っている本人が、透明な波動になっちゃうということですね？

光 **その通り**です。**人間の社会**では、**魂の光をストレートに出す**っていうのが難しいですよね？ ちょっと**歪ませたり**とか、**繕(つくろ)って見せたり**とかが、皆さんそれぞれ必要になってきた社会ですけれども**【ヒーリングウェーブ】**をすると、**魂の光全開でＯＫ**っていう風に、**オーラもそうなってしまう**ので、それが表に現れて、そんな風に**ピュアーと感じる**のです。

吉田 はい。次に、音を使った時の「情熱」との関係なのですが、**「情熱」にしたがって生きられる人は、ピュアー**な人ですよね？

光 その通りです。**疑いません。疑いを知りません。**

吉田 そういう人ばっかりだったら良いけど、それがなかなか出来ない人も地球人にはいます。どういう**アドバイス**が、そういう人たちには可能ですか？

光 その魂は、その**ゲームを楽しんでいます。**

吉田 まあ！ それはそうでしょうね（笑）・・・

光　**地球物語**（笑）。楽しんでいるので、それはそれとして、**「完全系」として見てあげてください**。そしてもし彼らが、そんな自分を**変革させたい**という希望があるのでしたら、**その時に**色々なアドバイスをすると良いでしょう。**【ヒーリングウェーブ】**をかけるのももちろん有効な一つですし、**光とつながる**、瞑想**する**、もしくは**本人がやりたいことをやってゆく**。**やれる範囲でリハビリのように**、ここまでは**許せる範囲**をたくさん積んで、**少しづつ範囲を広げていくっていう**、もし**リハビリ**が必要な地球の方の場合には、するといいでしょう。

吉田　有難うございます！　さて「**祈り**」についてなんですが。結局、「**遠隔**」で他の人に音を送るっていうのは「**祈り」と同じ**ですよね？　**ちゃんと届いているという実感**ができますからね。

光　**その通りです**。

吉田　**【ヒーリングウェーブ】**があるおかげで、みんなが「**遠隔**」しあい、**他を思いやる、祈る習慣**がついちゃうと思うんです。それが一番のこれ（ヒーリングウェーブ）の**存在意義**というか、自分個人で祈っていても、確実に届いているかどうか？

普通の人は分かり難いですから。ところが、確実に届くと、これだと分かるので、みんながみんなやり始めるから、お互いがお互いのためにやる、というので「祈り」がいよいよリアルに実現化すると、地球中に。そんな効果がありますね？

光　**その通りです**。あなた方の思い、エネルギーを飛ばしているところ、**あなた自身が光**ですから、それが**共鳴してそっちの方にフォーカスする**、一つのツールになっています。

そしてまた**【ヒーリングウェーブ】**の特徴として、**あらゆるヴァイブレーションを表現して**いますね。そこがまた、**凄い、素晴らしい画期的なことで**、**宇宙意識を地球に入りやすくしてます**。何ヘルツという固定したものではなく、**非常に幅広く共鳴**させることができます。**宇宙意識体**も色々いて、**ヴァイブレーションの何かが共鳴して、情報をおろしていきます**。

吉田　（笑）ということは、**色々な音を使ってみた方が良い**ということですね？

光　その通りです。

それらの音を記憶します。**地球が、ヴァイブレーションを記憶します。**宇宙存在、**銀河連合**が、グループの人たちが、**地球にアクセスできるようにしたい、という意図**があって、人類の厚い**集合意識を多次元化したい**、そうすることで、私たちが**コンタクトを取りやすくなります。**地球人のアンテナが、まっ**すぐに立つ**とも言えるのです。

その一つに【**ヒーリングウェーブ**】**というのは、非常に画期的なもの**でした。**ナチス**というところから、**わざと入れました。**

吉田 ははは！ なるほど・・・

光 そして、**つぶされないように研究させたわけです**（**他の機関ではつぶされていた**かも）。そして今、**マナーズ博士を守りつつ**、うまく成功したんです。いま現在表に出ていて、**より地球が多くの種族**（**宇宙の**）**に開かれるための**、一つの**ツールとしておろしました。**なので【ヒーリングウェーブ】を使うということは、**宇宙意識とつながる**という意味

宇宙とつながる

にもなってきます。

吉田　**美しいことですね！**　さて、宇宙が始めに**何も無いところ**からできた時に（**時間**があるという仮定で）、丸や球で出来たのではなく、三角形を4つ持った**正四面体からできた**と予想しています。それが**細分化**していって、もっと小さな小さな小さな、**ベクトル平衡体**などが中にできていったのではないか？（様々な生命・御霊ができた）小さいのから大きいのが出来たのではなくて、**大きな三角が小さくなっていった**と思うのですが、いかがですか？

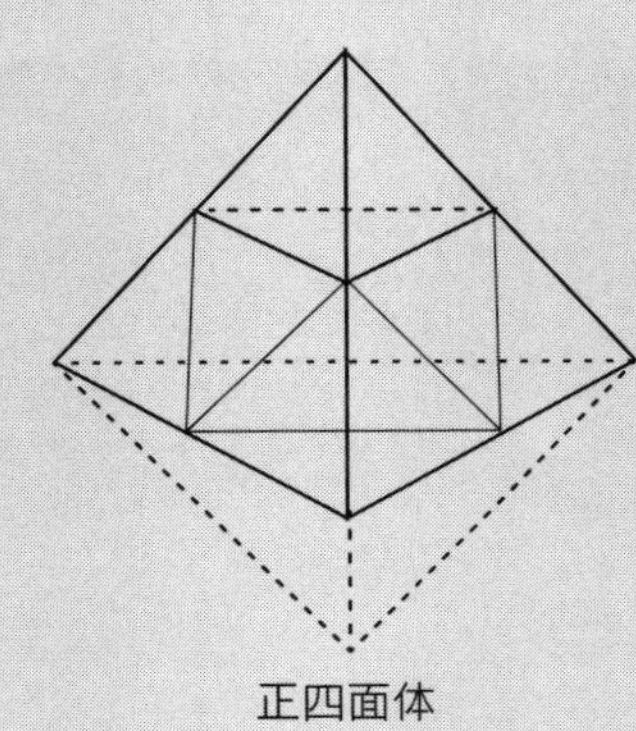
正四面体

光　**その様にもとらえることができます。**

吉田　同時と見てもいいんでしょうか？　**大きなものが小さくなったのと、小さなものが大きくなったのと**？　同時だという・・・

光　はいはい！　正確には、毎瞬間それが起きています。無限と最小・・・

吉田　この、ふくらましたり、小さくしたりする（放射と重力）というのは、全体としてのプルシャ（Something Great）がやっているのでしょうが、その中で個人は個人に見えているだけで、やっぱり本体、主人公はプルシャだから、プルシャがやっているとみていいんですね？

光　その通りです！

吉田　固有の別々の存在に見えるけれども、結局プルシャ本人が体験して味わっていることなので、結局どんな小っちゃくなっても、プルシャしかいない風に思います。個別別個がたくさんいるんじゃなくて、各々が違う周波数で違う体験をするために、その瞬間に現れたプルシャの変身した姿、みたいなもんだと思うんですが？

光　うんうん。

吉田 はいはい。この個人**という感覚**をそろそろ**止める時期**なんじゃないか？ と思うんですが。**地球人**は、「**個人**」というのが楽しいからずっとやって来たけど、正に**苦しくなる唯一の原因**でもあるわけですよね？ だからもう「**個人**」っていうのは無くて、**瞬間芸でどんな体験でもできる**、自分は**プルシャそのものだ！**と思った方が、早いと思うんです。

光 **その通りです**。真実は、あなた方は、**何にでもなれます**。あなた方は「**個**」というもの、「**個**」**という幻想**をもっています。私は「**私**」**という幻想**を持っています。ですが、**その幻想を持ったままでも**、ほかの色々なものに**転写**（**変身**）したりとか、そう何か**全てになることができます**。あなた方肉体を持った人たちの仲間のなかにも、そのような技を持っている人たちがいますね。数は少ないですがいます。**瞑想を通してすべてと繋がる**体験を多くの人たちもしています。**時空を操る**人たちも出てきています。**死なない技法**を持っている人もいます。そのようにして、もうあなた方は、**無限なる存在であることを実は体感**しています。どこかで体感しています。

吉田 そして、「**選択**」によって、**こちらが正しくてこっちが間違っている**、というのは無いですね？

光　**その通りです。「間違った」という概念だけがあります。**

吉田　**「選択」したと**見えるのは、**地球人、人間からだけで、**実際「選択」っていうのは、**宇宙（プルシャ＝Something Great）が自然にそのようなものを選ぶ！**ということが、唯一あるので、**それが個人を通して見えるから、個人の「選択」に見えているだけだから、**実際には**宇宙の選択しかない、**というか「**絶対に正しいことしか起きてない！**」ということじゃないですか？

光　**その通りです・・・両方ですね。宇宙の意思と自分の意志と・・・**

吉田　**どっちから見ているか？**だけですね？

光　**はい。**あなたが**間違うことはありません。**間違いという「**概念**」**があるだけで**す。ですから自分自身に安心して、**好きなことをやらせてあげて下さい！**自分の**できる範囲**からやらせてあげてください！　また会いましょう。

（まとめ）

ありのままで完璧！すべて**これで良い**。**元にもどす**、とはここにもどる。**プルシャ**にもどり、**エクスタシー**にもどる。**不惑**にもどり、**赤子**にもどる。「**間違い**」が何**もない**宇宙。**すべて**が「**絶対**」である宇宙。「**自由**」しか無い宇宙。

「ありのままで完璧」に**気づくだけでいい**。そのためと言ってヒーリングウェーブを使わなくても、気づくと**そんな風になっている**。「**ま！いっか〜！**」「**気にならない**。」「**何も悩みがない**」「**ありのままの自分に満足している**。」「**一瞬一瞬を、迷いなく楽しんでいる**。」

こうなるわけは、いったい何でしょうか？

ヒーリングウェーブの音、そのどれもが、**基本ベース**でできている。その音とは「**魂のブループリントに共振共鳴する音**」。「魂のブループリント」とは「**愛**」の周波数。

だから、**すべてをバランス**する・・・

「**銀河連合から日本へ**」。**銀河と地球の共振共鳴**が、今いったい何をもたらすのか？

あなた自身の**人生とエクスタシー**の**波**に乗って、**冒険**して行ってください！

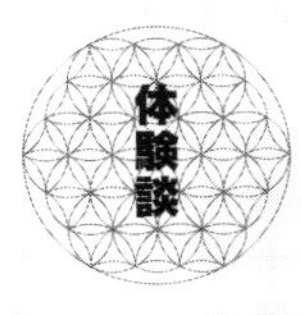

人生の集大成！
すべてを変えたヒーリングウェーブ

体験談

人生の集大成！―すべてを変えたヒーリングウェーブ

インタビューゲスト　野口裕子

エニアグラムのエキスパート
繊細過ぎる憑依体質だった

とにかく「**身軽になりますよ！**」って言いたいですね。とっても身が軽くなります。ヒーリングウェーブに出会ってから、まだ一年ちょっとしか経っておりませんが、**たくさんの奇跡をいただいて、本当に人生が変わりました。**こんなことがあるのか？　と思うくらいです。

私は**体が繊細すぎて、毎月、針に8回、整体に8回通って、サプリはたくさん飲んでいる**という、そういう体でした。でも、ヒーリングウェーブを使い始めてからは必要ないので、今は、**全部やめています。**ついでに**化粧品もやめました。**だから、いつもスッピンですが、**化粧を落とした顔でも、全然大丈夫**なんです！

運命的な出会い！

まだヒーリングウェーブがものになっていない時に【吉田統合研究所】でお話を伺って、スピーカーを手にした時に、**直感でこれは凄いぞ！と思った**ので、何も分からないまま、まずその時点で申し込んじゃったんです。

年配の方の手が十分くらいで綺麗になっちゃったり、顔もこう上がったりして。私は変化が無かったんですけど、そういうことがあって、これは良いと思って。**で、**買ったんですね。

だけど、私の場合、全く、**目に見えて変化があるということが無い**んです。それでお正月になって、「これだけはちょっとダメだったかな」と、ちょっと疑念が出ていたんですけど、でも、**正月も三が日が終わって、変化に気がつきました。**

いつも私、**お正月に寝込む**んです。家族がいっぱいくるので疲れ果ててしまうのですが、それが、去年のお正月は寝込まなかったの。**全く寝込まず、凄く元気だった**。それでふと思ってね。「これは、この音のせいかな？」

一二月一〇日からかけ始めたので、お正月に疲れていないと気がついたのは、音をかけ始めてから**二十日くらい経ってから**です。

実験に実験！

はじめに私がしたのは、【ヒーリングウェーブ】に入っている**千種類の音を全部、順番にかけました**。夜寝るときに全部、頭から、一番からずーっと再生します。そうすると、1分ごとにどんどん音が変わっていって、全部終わるのに**三日かかる**んですよ。

音は**どれを聞いても嫌な感じはしない**んです。だから、良いんじゃないかなというふうに思いながら。三日間続けて、やり抜いたんです。が、体がおかしくなっちゃいまして、**夜通し耳元で音を流すこのやり方はダメ**だなと思いました。

四日目からは、スピーカーを下の部屋に下ろして、**「遠隔」でやる**ことにしたんです。私はロフトに寝てるんですけど、【ヒーリングウェーブ】のタブレット（機械）を、ロフトではなくて、下の部屋におきました。これだけ音が聞こえるんだから、頭の上においてできるなら、**離れてても平気**なはずという、何かそういうふうに感じて。

名前を書いて、**「遠隔」で音を送るというやり方の原型は、その時にできました。**

周波数なので「遠隔」でも大丈夫だろう！と思って、実験のつもりでやってみたんです。**夜寝ている時**には、下の部屋に機械をおいて、ずっと「遠隔」で音を流していました。そのときは、全部1分ずつではなくて、その時の気分で、音を選択しました。

当時腎臓が悪かったんです。**腎臓**と**甲状腺**がいつも検査で引っかかっていました。だから、腎臓と甲状腺の音を徹底的にかけていました。

当時はまだ、**「遠隔」の原理**をはっきり理解していなかったので、**音が聞こえるくらいの範囲**にスピーカーを置いていました。

一階が生活スペースなんです。**キッチン**とか色々あるし、人も一階にきます。**二階こそが私の居住空間**。で、**寝ているのはロフト**なんです。

最初のうちは、スピーカーを向ける向きも、なるべく意識的に、直角に向くようにしていました（音が確実に当たる）。でも、**動き回る**のでね、なかなかいつも音が当たるようにはならない。（でも、**今は完全に「遠隔」**なので、**音の向きは気にしていません。**）

夜寝るときだけでなく、**日中も朝から晩まで、ずっとかけています。**

音を流し始めると、最大では99分かかるんです。ですから例えば、**買い物**とかに出かけるときも、とにかく**何らかの音を99分設定して出るんですね。出かける時も「遠隔」で、自分に音を当てて**いました。

「遠隔」の発見！

その後、**離れても平気**！ということは、**その空間になくても良い**のではないか？とふと思って、いろいろ試してみました。

下の部屋に下ろしてみたり、私が台所にいるときに、壁のある反対側の居間のところにセッティングしたりして。**壁があって、音もあまり聞こえないような空間**に、だんだん離していって、試していた。

最初は、**物理的な音**に効果があるのではないか？と思っていたのですが、そのうち、**壁があっても大丈夫**だ！ということは、**物質次元でないところで影響があるん**だ！と、

エネルギー的な効果だろうと。そういう風に意識が変わってきました。

それでもまだ居住空間の中だから、その時はある程度の**距離的な制限はある**と思っていました。**壁を通り抜ける**のだろう？　くらいの感覚でいたんです。

ところがその後すぐに、**「遠隔」の場合には距離が関係ない**！　ということがわかる出来事がありました。

ちょうど、1月、2月の時期は寒い冬で、風邪が流行(はや)ります。千代田区に、双子の小学生、当時は**四年生の男の子の孫**がいて、彼らがしょっちゅう熱を出して学校を休むんです。学校を休むと、母親が働いているので、私が千代田区までとにかく**行かなくちゃいけない**んです。

それが大変なので、孫が風邪をひいて、夜中に娘から、「**熱が出た、明日来て**」、と言われたときに、**苦肉の策**で、「ちょっと**遠隔で音を送ってみようか**」と思ったんです。それで、100円ショップで売っている、A5サイズくらいの**小さなホワイトボードに双子の名前を書いて**、**結界を張って**、スピーカーから**数センチ**のところにずっと置きっ放しにして、「**免**

疫」という音をずっと夜中じゅうかけていました。

で、朝6時くらいに娘に電話して、「どう?」って聞きました。熱が下がったら行かなくて済むけれども、**熱があったら、すぐ行かなくちゃいけない**!

そうしたら、「**下がった**」。・・・こういうことが、**何回か続いた**んです。

「**結界**」というのは、ホワイトボードに二人の名前を書いたあと、**一人ずつ、名前の周りを四角で囲**うんです。

なぜそういう事をしたかというと、私は**スピ系**ではないのですが、**仏教(密教)**を勉強しているので、**空海**の言っている「**結界**」**は必ず必要だ**と日々思っているんです。

実は、そもそも私は**憑依体質**で、外に出かけると、**必ず霊的なエネルギー体が入ってきてしまって**、それでずっと困っていたので、「**結界を張る**」**ことは私にとって身近**なことで、昔から非常に**大事な考え**だったんです。

「**遠隔**」する時にはちゃんと名前に「**結界**」**を張らないと、エネルギーが散ってしまう**、そう思ったんです。

その後、こういう、孫が**熱が下がった体験が何度も続いた**ので、これは「**遠隔**」**は絶対いける**と思って、**こんな凄い機能がある！**と、とにかく皆に知らせなきゃと思って、それで5月くらいに、【吉田統合研究所】のイベントの時にそのお話をしたんです。

「**遠隔**」というのは、それまでは言われていなかったし、**誰もやったことはありませんでした。そんなことが出来る**なんて、**私ももちろん知らなかったし**・・・

吉田所長によると、「**遠隔**」という感覚は、**日本人には自然なもの**のようです。**天皇陛下**は、**世界平和とか日本のためにずっとお祈りをされている**わけで、**祈り自体が**「**遠隔**」ですから、**日本人の体の中に染み込んでいる感覚**です。ヒーリングウェーブが世界に広がっていく時には、**祈りの習慣も自然に広がっていく**ことになる！と思います。

長年の持病が？

次に、**ヒーリングウェーブを使って、私の体がどのように変わっていったか？**

私の場合は、まず、**甲状腺が良くなりました。**病院はそもそも普段から行かないので、検査はしていないので分からないですけど、**腫れが引いている**し、**喉はもうなんかいい感じ**がします。

それから**腎臓**が悪かったので、**30年間**、**腰痛**（ようつう）がありました。**掃除機がかけられないので、掃除ができない**んです。掃除機をかける時は斜めに力が入るので、**痛くて掃除機がかけられなかった**んですけど、今は**腰痛も治りました**。腰痛が平気になったなー！　と思ったのは、使い始めてから**半年**ちょっとくらい経った時です。

吉田所長によると、**腎臓**の調子が悪くなる根本原因は、一般的には**心配**や**不安**が大きいと言われていて、例えば**右の腎臓**に来る人の場合は**将来への不安**。左の場合は、**過去に対するトラウマ**みたいなものがあると、腎臓に出やすいそうです。

私の場合は、はっきり原因がわかっていて、**第一子を出産**するときに、**腎臓をすごく悪くしました**。妊娠したときに起こる**尿毒症**で、最後の一ヶ月、産む一ヶ月前に**蛋白が出て、出産も大変**だったんです。普通は**出産したら元に戻る**らしいんですけど、私の場合は全然ダメで、その後も**丸二年間**、**蛋白尿が取れませんでした**。

【ヒーリングウェーブ】は、**エーテル体を元にもどせば臓器も自動的に戻る**という考えなので、あまり分析的に考える必要はないのかもしれませんが、私は**理屈っぽい**人間なので、いろいろ**分析的に考えています**。

いつも**整体**に行くと、**右の腰が硬い**と言われます。**右の腎臓が悪い**から、右の後ろの、**腰の筋肉がずっと硬かった**んです。硬いので、**骨盤もずれます**。それは腎臓が悪いせいだと長年思っていたんですけど、この音をかけるときに、腎臓ももちろんやりますが、これは**骨もずれている**わけだから、と考えて、**足の骨を、下から順番に整えていく**ような音をかけます。

最初にするのが、「**チャクラ**」と「**頭蓋仙骨調整**（ずがいせんこつちょうせい）」です。そういう音があるので、それもちゃんとやって、とにかく**土台を整えます**。まず**骨が土台**なので、土台をちゃんと整えて、その上に**筋肉**がついて、そしてそこに**内臓がちゃんと収まる**という、そういう構造を思い描いて、自分で**人体図をイメージ**しながら、その時々の**直感で音を選んで**使っています。

吉田所長からは**【ヒーリングウェーブ】**の音は、**アストラル体、エーテル体にも入る**と教わっていたんですね。

人間の体は、肉体という物質的な素材でできた部分の他に、**目に見えないエネルギー体が重なって**できています。まず、肉体があって、そこに**エーテル体**がピタッと重なっています。その外側に**アストラル体**があって、さらにその外側に**メンタル体**があって、それから**神的体**(しんてきたい)がある、というふうに考えるんですが、【ヒーリングウェーブ】の音が**アストラル体に入る**ということは、**目に見えない、その空間に入っている**わけです。

憑依(ひょうい)体質の重荷からの解放!

先ほど、私はもともと**憑依体質**だといいました。憑依ということは霊的な体質で、**霊的に感じ易い**ということです。

今までは憑依されると、**めまいと吐き気**がして寝込むので、**霊能者**にお願いして外してもらわなくてはいけませんでした。それで、**ものすごくお金がかかって**いました。憑依というのは**ずるくて、隠れる**んです。**取れたようなふりをして、まだある**みたいな、とても悪質なのもあったりして・・・

でも**【ヒーリングウェーブ】**の**音を使うようになったら、自分で外せるようになったん**

です。憑依体質自体は治ってはいないんですが、**自分だけで、自力で外せる**ようになりました。**お金を使わないで済む**ようになったんです。

私は今、**体には「知性」があるから、自分の思考の知性ではなくて、体に任せればいいっ**ていう感覚がずっとあります。

【ヒーリングウェーブ】の音を聞くようになってから、自分自身がとても**研ぎ澄まされてきて、**肉体と**層になっているもの**が、**はっきり分かるようになった。**分かるというと語弊があるけれども、**あるんだということが、実感できる**ようになりました。

ふっと今回の人生の、**昔のこと**を思うんです。ああ、あの時はああだったな！と。それが、ああ、これは、**その時の自分の想念を解消しているんだ**な、クリアーにしているんだな、と。

ああ、これは、**カウンセリング**のように、深いところで何かを出してきて整理するのではなくて、そういうやり方で、**フワーンフワーン！**とやって、みんな**綺麗にしていってるんだ**な、というのをすごく感じますね、最近。

音を聞いていると、表面的に、**あの時ああだったな**、という感じで、**フーッ！と手放**

せる感じなんです。そこを深く考えたら、さらにあの時、あんな感じであんな話をして、ああだったよねって、そうなっちゃいますよね？
そうはならないんです。そこで**シャボン玉が消えるみたいに**、**フワーッ！と行く**んですよ。こういうやり方で**クリアにしていく**んだな！というのを最近感じます。

この記憶は、**感情**だと思います。**想念**です。多分ね。それも出てきてないから分からないですけど、多分突き詰めたらそうなると思います。

これは消えるという感じではなくて、**フワーッと思い出して**、**フワフワフワッて飛んでいく**感じです。自分の中で想念が**蛹**（さなぎ）になっていて、ジーッとしている状態でいるものが、そういう音をきっかけにして、**美しい蝶**になって、私の手元から**野山に飛び立っていく**という、そういうイメージですね。

だから、**気分が良い**んですよ。思い出していても、**嫌な思い出にならない**。だからこれは**すごいな**！と思って・・・

【ヒーリングウェーブ】の**音は何でもいい**んです。だから、**軽やかに清算**していくみたいな感じですね。
人によっては、**不快に感じる**音があるという方もいらっしゃるようですが、**まだ準備が**

できていないんだ、と思います。そういう時は**音を変えればいいん**です。

エネルギー体が修復！

私は、長いこと**エニアグラム**という、**グルジェフ**の教えを学んでいます。**人間のエネルギー体に四つの層がある**ということは、知識としては、学んでいました。ただ、**実感はなかったん**です。

でも、【ヒーリングウェーブ】の音を聞くことによって、**明快に、それがあるんだ**な！ということが分かるようになりました。

それまでは、私の肉体を取り巻くエネルギー体の四層の部分が、**憑依**だとか、自分の感情の想念の影響で、**かなり細くなっていたん**ですが、それが、**すごく膨らんで、**今はこう、雪だるまのように、**両手をいっぱいに広げたぐらい大きく**なって！そういう範囲であるんだな、というのを感じます。

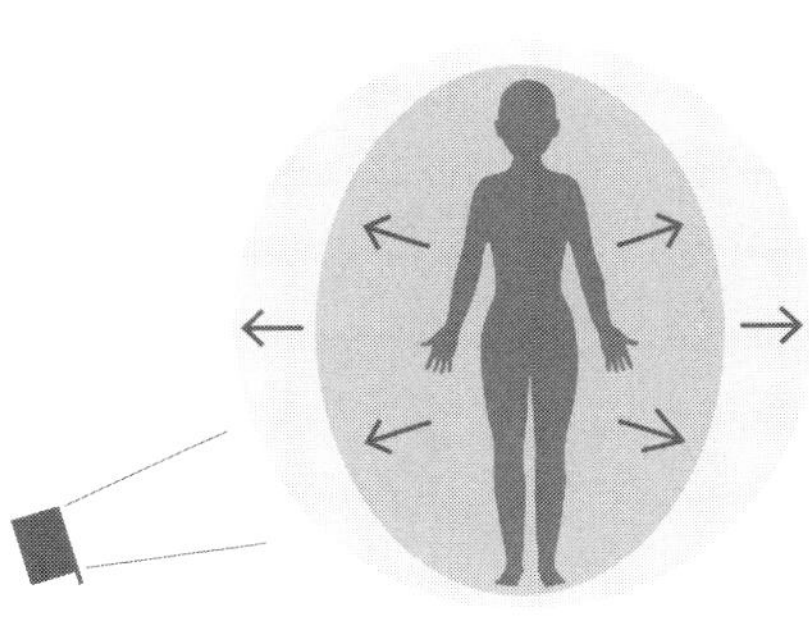

オーラの拡大

もちろん、普通の人でも、目に見えないエネルギー体が大きい人はいると思います。でも、おそらく、いろいろな辛いこととか、自分の肉体の感情の中に**傷ついたもの**があると、そのスペースが**細くなっている**と思います。

それがこの【ヒーリングウェーブ】の音で、**修正されて膨らんでくる**んです。肉体だけではない、四層ある**エネルギー体の部分が、音の栄養をもらって大きく膨らむ**みたいな感じですね。それが**本来の人間のあり方**なのだと思います。

自分に**どの音が必要なのか**？ということは、肉体の「**知性**」**に任せればいい**のだ！と今は感じています。本当に音は何でもいいんだ！ということが分かって来たんです。**その時の直感に任せれば良くて、思考で選ぶ必要はない**んです。もちろん、手がチェックする訳ですが、要するに肉体レベルではなくて、**高次の思考と言われているアストラル体の思考**で、勝手に手が選んでくれて、その時**自分が勝手に選んだものが、一番必要なものだ**という、そういう感覚の方が今は強いので、本当に、何でも聞いています。

地球人には、みんな**ネガティブ想念と感情**があるので、せっかく**体を良くしようと思っても、エネルギーが、滞っている**わけです。そこが滞ると、私のように**腎臓が悪く**なったり、**甲状腺の調子**がおかしくなったりするわけですね。

それを【ヒーリングウェーブ】の音は、直接肉体に働きかけるのではなくて、**高次のアストラル体、高次のメンタル体、さらに外側の神的体**に来るわけです。

深まる一体感！ハイアーセルフと・・・

一年前の私は、おそらくこの**目に見えないエネルギー体の層が、ペッタンコになっていた**のだと思います。

【ヒーリングウェーブ】の音が来る前は、例えば**ハイアーセルフから高次のエネルギーが来ていた**としても、**ペッタンコだから取り込みようがなかった**んだと思います。

だけどこの音が来ることによって、**だんだん栄養をもらって、徐々に徐々に開いてきて、**そしてさらに、この、**自分の持っていた低次のものが解放されていった**のだと思います。

【ヒーリングウェーブ】の音は全部愛、慈愛の音

要するに【ヒーリングウェーブ】の音は**全部愛、慈愛の音**なので、**凝り固まった自分の**

辛かった気持ちが、音によって変化していったようです。

私の感覚としては、**身体にへばりついていたマイナスのエネルギーが、光に変換**されたような感じですね。

今までの**辛かったものとか、怒りとか、悲しみ**とか、そういうへばりついていたものが、徐々に徐々に、音を聞くことによって、だんだんだんだんと・・・**冷凍されていたものが解凍**されて、時間をかけて**キラキラした光になる**ような・・・。瞬時ではなく、時間をかけて。そして私の実感では、**一年経って、本当にそれが解放されて**、すっきりと、**本来の人間が持っている、広い大きなエネルギーの空間**の中に、自分の肉体を中心として、**霊的な一つの軸を持ってある**という、そういうイメージですね。

私の場合は、実際、**音を聞くことによって、自分の高次のエネルギーの体が膨らんできて、頭頂の光と、自分の肉体が繋がって、シャンとする**、という。**一年使ってみて**、そんな感じがしています。

また**【ヒーリングウェーブ】**で、**エネルギー体が大きくなる**につれ、**肉体**の自分の部分だけでなく、**高次の自分の部分も、活性化**している気がします。

本来、人間の体には、自分の肉体を通して、**トーラス状態で循環するエネルギーの流れ**があります。ところがエネルギーが循環する場が細くなっているので、流れが小さくなっています。**エネルギーの流れる場所が小さくなっているん**ですよね、多分。

私の場合は、みなさんと違う使い方をしていて、こう、いつも**床置きで下から音を当てています**。私の実感では、**大地のエネルギーとともに上がってくる**ほうが、何か効果があるような気がするんです。

地球との**グラウンディング**はもちろん出来ていないといけないです。**自分の中心**には、**光のエネルギー**が、**自分の本来の本質**が、背骨の中を、上からこう軸**で降りてきています**から、上がる方のエネルギーは、やっぱり、**下から上に上がるトーラス**になると思うんですよね。だから、私の場合はずっと**床置き**です。

恐れからの解放！

地上的なエゴだとか、**自分を否定**する思いだとか、これが**正しいとかこうでなければならない**という思いだとか、**自分を自分で縛り付けるネガティブなもの**があれば、**恐れにな**

るので緊張しますよね。その**恐れの緊張がほぐれるんだ！**と思うんです。この**音が色々な部位の、あらゆるものを緩めてくれるんだ！**と思います。

今は、私は心配や不安というものを全然感じないです・・・

【ヒーリングウェーブ】を使っているうちに、**自然に恐れが無くなった**のですが、きっかけは何だったか？と考えてみると、まず「**遠隔」ができる**ということが分かった時に、**この世は時空を超えているんだな！**と思いました。**普通は時空があるから「遠隔」はできないと思う**のですが、**それがちゃんと届いている**わけだから、**私たちは時空を超えた中にいるんだ**と。それで**目に見えるものに縛られる必要はない！と実感した**ことがまずあります。

それから、ある時、**世界が違って見える体験**をしました。**私が見ているものは、本来の世界ではない、今の見え方の方がおかしいんだ！**と分かったんです。

覚醒体験！

それは去年の6月くらいに、食卓で朝ごはんを一人で食べていた時のことでした。テーブルに、アジアのどこかで買った、**金糸の入ったとても美しいクロス**が敷いてあるんですけど、ご飯が終わってボーっとしていたら、それが**ブワーッと浮き立って来た**んです。これ何！？　と思って見ていました。瞬きしたらそれが消えてしまうので、瞬きしないように一生懸命我慢していた。その状態はすぐに消えてしまうんですが、そういう体験が、**続けて何日間かあった**んです。

その時に、「私の見ている**世界**、この**人生は平面的**なもので、本当の世界は**こんなに立体なんだ！**」と思いました。すごく不思議なんだけど、要するにこう、ガラスを通してみたような**厚みがある**んです。**織の糸一本一本**が見えて、**本当に美しい**んです。しかも自分からの**距離がない**。距離がないんだけど、**もの凄く奥行きがあって深い**んです！　それを見たら、この世は**あらゆるものが全て美しい**！　と思った。

実は同じ体験を、**吉田所長**もされているそうで、**アーユルヴェーダ**で**ネトラタルパナ**という、目に**ギー**を入れて**浄化**するやり方をやり終わったら、そのように見えたことがあるそうです。10**メートル先の葉っぱ**が、目の前にあるように、**もの凄くリアル**に見えた。所長によれば、これは「**見るものと見られるもの**」**に別れない**で、「**体験そのものになる**」ということなのだそうです。

だから、私が今こうやって見ている世界は、**スナップ写真を撮ったのと同じものを見ているようなもの**で、何の奥行きもなかったんだ！　三次元だと思っているけれど、この見方は、これは**二次元の見方**で、本当はこういうふうに、**全部が立体的に見えるは**ずなんだ！　**なぜ私は普段からこれが見えないのか？**　という体験があって、そこから**すごく変わってきました。恐れがなくなった**のは、その時からです・・・

【ヒーリングウェーブ】を半年間聞き続けたら、**左脳と右脳がつながる状態になってしまった！**　ということだと思います。

体が、動くイヤシロチに！

【ヒーリングウェーブ】は、**被災者とか、場所や地球へ光を届ける現代的な祈りのツールになる！**　と言われています。でも私はソーシャル能力が低いので、どこかの**グループに入って何かの活動をするということができないん**ですね。苦手なんです。

それで**私のできることは何か？**　って言ったら、**自分自身がイヤシロチになる**ことだ！と思ったんです。

この音を**家でかけていれば**、**時空を超える**わけだから、私の家だけでなくて**お隣にも、地域にもどんどん広がっていく**だろう、と思いました。

実は、そのことは**【吉田統合研究所】オリジナル**の**「縄文神聖水」**を使った経験から分かっていたんです。私の家は、この**「縄文神聖水」**の機械、**活水器をつけている**んですが、その**周り中のお水**も、別に**機械はつけていない**のですが、**波動が転写されるので、質が変わる**んです。

うちは**「縄文神聖水」**を**キッチンの下**だけにしか付けていないんです。水道の大元に、**元付けできなかった**ので。うちは**洗面台が5箇所**にあって、**トイレも五つ**ある。小さい家なんですけど、**トイレと洗面台だけ多い**んです。**そこには付けていないのですが、そこが全部、徐々に徐々に変化してきた**んです。

それは、水の**「手触りが違う」**ので分かるんです。それも、最初から、すぐに変わったわけじゃ

ないんですよ。**何ヶ月かして変化**したんです。だから、このお水の体験から、**波動が転写するんだ！** ということが**実感として分かった**ので、**この音も、うちでやっていれば、周りも絶対変わるな！** と思って、そういう**意識を持つ**ことにしたんです。

私の家がこの音をかけることによって**イヤシロチになる。**このイ**ヤシロチが徐々に徐々に広がって**いって、そのうち、**日本がイヤシロチの国になり**、そしてそれが**地球規模に変化していく**はず！という**意識**です。この世は**意識を持っていればそれは絶対に変化する！**と思うので、そういう意識を持った。

いつも「イヤシロチになる」と意識しているので、**自分自身が変化**してきているようなのです。自分では分からなかったんですけど、ある時、いつも行く**お花屋さん**があるんですけど、そこで**びっくりする体験**があったんです・・・

そこは古い、ずっと昔からやっている、**ボロボロの町のお花屋さん**ですが、私はそこの**お花が好き**なのでずっと通ってたんです。**腰の曲がったおばあさん**と、その**息子さんの親子二人**でやっているんですね。その息子さんという方は**喋らないん**です。結構ないい年なんですが、お店に行っても、**いらっしゃいでもないし、ありがとうでもない**。ただ黙って、

そのお母さんのいう通り動いている・・・

それでも**毎週一回**、ずっとお花屋さんに行っていたんですね。私はしょっちゅう行くので、その**おばあさんが、お花を一本必ず入れておまけしてくれる**んです。だから何気なく、「私ここに来ると、**いつもおばさんから福をもらっちゃって嬉しいわ！**」って言ったんです。そうしたら**いきなり、喋ったことのないその息子さん**が、「**お客さんが福なんですよ！**」って言ったんです。わたしもう**びっくりして**「**喋った！**」**と思ったん**ですね。

そうして、「**お客さんが福なんですよ！**」という意味がとっさには分からなかったんですけど、びっくりした後でよくよく考えたら、この方は、わたしがこうやって1週間に一**回買いに来るごとに**、「**福が来た**」**と思ってくださってる**んだ。これこそが、**動くイヤシロチだ！**っていうふうに、**すごい実感**しちゃったんです。それでも**ありがたくてありがたくて、帰り道に涙が出ちゃいました**。すごく幸せで・・・

それ以来その息子さんが喋るようになったんです！

それで、それまで、おばさんがいないと、**沈黙でお花をくれていた**のが、**おばさんがいなくても、ちゃんと一本おまけしてくれて、「おまけします」**って言ってくれるようになった。

信じられないと思うんですけど、こうやって、**わたしが変われば、本当に変わるんだな！ というのがすごく良くわかった**の。

だから、肉体ではなくて、**エネルギー体の層が膨らんで、そこがハッピーな愛に満ちているわけだから。こちらがそうなって、それを持っていくわけ**だから、**そこに触れるんだな！** と思ったわけです。

これって、**動くイヤシロチになっている！** ということだと思いました。**人間**は肉体だけではなくて、**エネルギー体**でもあるので、本来は、**肉体が健康**になっただけでは足りなくて、**エネルギーも光の状態で地上にいれば、自分が動いて行った先の人に、「エネルギー転写」で、その波動を分けて差し上げられる。動くパワースポット**になってしまう！

私は**夫をもう無くしている**ので【ヒーリングウェーブ】で家庭の中がどう変わったか？ という体験はあまり無いんですが、**東京の娘のところに、毎週行っています。孫たちは今5年生**なので、**中学受験**があるわけです。それで、**塾に通っていて、日々疲れ果てている**らしいんです。

だけど**わたしが行くと、すごく元気になります。**毎週木、金に行くんですが、**すごく元気になる。**これが**やっぱり、変化かな！**というふうに思いますね。

【ヒーリングウェーブ】を使うあなたへ

私自身は長い間**エニアグラム**というものを学んでいます。実は、**グルジェフ**の言っていることの意味がずっと分からなかったんです。ところが、グルジェフの説明と**自分の体感がピッタリ**なので、**【ヒーリングウェーブ】の音で初めてわかりました！**

目に見えないものを、いくら**高次の思考だ、高次の感情**だと言われても、**そんなものがあるの？**というところだったんですけど、**この音で、それが本当にわかって、スッキリしました。**そういうことだったのかって・・・

ですからこの【ヒーリングウェーブ】は、私にとっては、私が**今まで学んできた様々な、バラバラだったものを束にしてくれて、一本にまとめてくれた！**そういうものです。

同時に、**本当の自分を感じられるようにしてくれました。**私は、**今、本当の自分を感じています。**

そして**人間としてすべきことは、このエネルギー体を持って生き抜くことだ**！　それが、**動くイヤシロチ**。それが**社会貢献になる**、今はそう思っています。**自分がいるだけで、自分が存在することがイコール社会貢献**である！　そうやって**生きていきたい**と思っています。

私の場合はグルジェフですが、他の人はまた**違った思想体系**を持っていたり、ある人は**宗教**だったり、**スピリチュアリズム**だったりすると思います。そこの部分は、間違った教えじゃなければ、**【ヒーリングウェーブ】の音でその理解が深まる可能性がある**と思います。

要するに、今**エネルギー体としての私が体験**しているのは、「**宇宙そのもの**」であるわけです。そして、**宇宙の存在と【ヒーリングウェーブ】の音は別物ではない**。私の実感では**【ヒーリングウェーブ】の音は宇宙そのものの音**だから、**高次元の私たちともイコール**なんです。

自分の**ハイアーセルフを体感**する、あるいは、**思考を超えた愛のエネルギーの世界を体感**することが大事で、今までは、本を読んだりとか、誰かの話を聞いたりとか、ヒーラーの施術を受けるということしかできなかったけど、**エネルギー体の感覚の違い**を、自分で試しながら、**色々試行錯誤しながら体感するという選択肢が与えられた！**ということです。

ここでお話ししたのは**私の使い方**ですが、皆さんそれぞれ、**体質も、人生経験も違う**ので、**それぞれのやり方で、うまく活用することができる**と思います。【ヒーリングウェーブ】の**音自体は、枠のないもの**だからです。**時空を超えていて、制限は何もありません。**

あるのは**宇宙、光、神様だけ**で、**音もそのバリエーションでしかない。**色々な音だけども、**一つの大元のものから出ている。元は一つ**なので、**何の音を使っても、最終的には宇宙の源とつながっている**わけだから、**何も問題はない**わけです。

思っている以上に
地球は
良い方向に向かっている。

銀河連合からのメッセージ２

アセンションの中心となるのは日本人　Infiny vs 吉田

吉田　アセンション対応。いろいろな技術がある中で【ヒーリングウェーブ】はどんな位置づけですか？　また、**なぜ日本に出現したのですか？**

光　**音は、一番速い（早い）です。エネルギーそのものだからです。音の周波数で、細胞を変革させることももちろんですし、音で物質化してゆくことも、これからどんどん出てくるでしょう。**そのように、皆さんが**音に興味を持ってアクセスしてきた結果、**このように**音の効果**というものが注目されています。ですから、**あなた方の集合意識が、この【ヒーリングウェーブ】というものを具現化しています。多くの人たちがそれを信じているので、このように現れてきています。**

日本人というあらゆる地球の要素を合わせ持ったところに【ヒーリングウェー

ブ】を下しました。アセンションを進めるにあたって、中心となるのは日本人です。日本人のアストラル体、エーテル体を調整する必要があったからです。一定以上の日本人がヒーリングウェーブを使うことで、一つのフラワーオブライフ（意識の宇宙的な神聖幾何学）が完成します。すると次のフラワーオブライフが使えるようになります。外国人まで使えるようになるということです。

吉田　【ヒーリングウェーブ】を使って過去に周波数を送っちゃうのをやった結果、過去が変わった、過去を移動している体験を私はしたんですが、これが誰にでも可能なんだったら、人類全体の大きな集合無意識とか、宇宙のオリオン大戦の時の過去とか、そういったことに周波数（音）を飛ばして、変更できると思いますが、いかがですか？

光　はい！　その通りです。あなた方が神であり、宇宙の中心です。あなた方一人一人全員そうです、ですから、あなたの意識が変わると、過去も、未来も、パラレルも変わってゆきます。あなた方の記憶も、どんどん変わっています。

吉田　記憶が変わるってことは、まあ、過去世があるという視点に立てば、過去世もそれに応じて変わっちゃうということですよね？

光　その通りです。

吉田　ただし、特定の過去世っていうのがあるかどうか？　なんだけれども、「個人」はいると地球人は思っちゃっているから、個人の過去世があるように見えるけど、個人がいないとなると、その人の過去世というのは、無くなっちゃいますよね？

光　ある意味そうです。過去世は、ありませんが、すべてあります。

吉田　なるほど。なるほど。「誰のものでもない」過去世ですね。すべてが均一にあると。ただ、今までの地球人は、今の自分が影響受けているのは、過去のこのカルマだよ～！　みたいにして思うわけですよ。それっていうのは、一つの説明だけれど、実際はそうじゃないということですね？

光　地球の人たちは、それが分かり易いのですね？

吉田 そうです。**自分の過去世というのが、今に影響しているのでは無い。**だけど、**じゃどう思ったらいいか？** という点ですね。**何がしかの過去世のようなエネルギーが、今の自分に、その人生を展開させるために、そのエネルギーを使っている、**とか、**今の周波数である自分が、それを選んでいる、**ということですね？

光 **はい！ その通りです。**あなた方が、**魂がやりたい条件が、一番合ったところに生まれ落ちますね。**あなた方が、**過去世だと思いたいものがあれば、それを引っ張って来て、その過去世に影響をさせて、人生プランに使います。**わかりますか？

吉田 （笑いながら） はいはい！

光 ですから、**過去世、ゼロポイント**にもどしてしまえば、**どの過去世でも選ぶことができます。**また、**選ばないこともできます。**

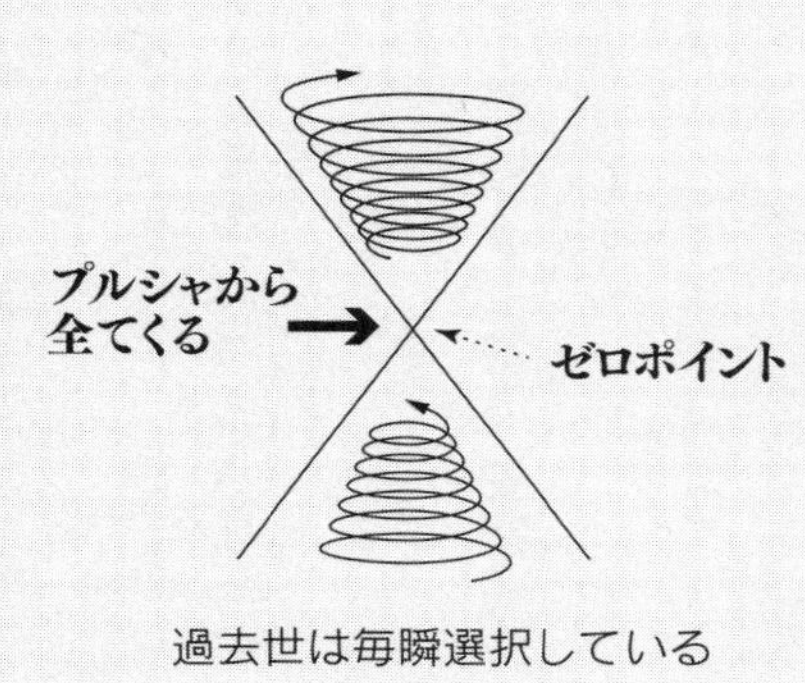

過去世は毎瞬選択している

吉田 そうすると、その過去世っていうのは、実際自分がやっていたという訳ではなくて、過去世として見ている何か宇宙的な情報、データがあって、それをたまたま、自分に役立つと思って使っていると・・・

光 その通りです。地球ではそのようにプログラミングしていくことで、生き易くなるようです。「過去世」の定義も、今大きく変わってきています。あなた方も、そろそろ色々なところから聞いているかもしれませんが、テレポーテーションですとか、タイムトラベラーとか、そのような人たちは、実際にいます。あなた方の日常で、経験があると思います。非常に時間が短く感じられたり、初めて行った場所なのに、よく知っている場所のように感じたりするとか、日常で起きています。

吉田 そうですよね。そうすると、今まで、Infiny は Infiny、吉田は吉田で、ズーッと継続していると思っていたものが、宇宙的に見ると、瞬間芸で周波数が変われば、違う人になっちゃうわけだから、全然違う人と思ってこれから生きてゆくことになるか？ ま、個人の選択でしょうけどね。概していうと、まるっきり毎瞬間、違った人と見ていいのか？

光　（即座に）はい！　事実「まったく違う人物」に毎瞬あなた方はなっています。過去というものを、過去の定義をして、今を作り出していますね。毎瞬毎瞬、創り出しています。

吉田　ということは、その記憶自体も、継続性を持ちたい、個人という幻想を持ちたいがゆえに「記憶」を使っていると思っていいですか？

光　その通りです！　究極は、その通りです。頭がおかしくなったように感じますか？

吉田　ははは！　そのうち、今に生きるようになっちゃうと、事実上過去を使うというチャンスも薄れるというか、過去の意味が無くなっちゃうと、ほとんど使わなくなるんじゃないですかね？

光　過去は過去で有効利用することができます。例えば、自分の栄光だと思ってい

る過去のエネルギーを今に持ってくる、など。

吉田 はい。でも、その過去っていうのは、**実際にあったかどうか？も危ういんで**しょ？ すなわち、**パラレルが無限にあるっていうところから見ると・・・**

光 **その通りです。**

吉田 ねえ。

光 ですから、スポーツ選手が、**イメージのトレーニング**をしたりとか・・・

吉田 毎回毎回、**周波数が変わると、**もう違う人だと、**違う存在だってことですよね？**
すると、周波数というのは結局、サムシンググレートである**プルシャである全宇宙が経験したい「体験」自体が、周波数として現れる、**ということだと思うんですよ。体験の数＝周波数の数だと。

さて、その時に、**周波数とは、自分で作らなければならないんじゃなくって、**

サムシンググレートが送り込んでくる、降って湧くものだと思うんですよね。ある種自分が努力して作らなくっても、パッと浮いてくる。プルシャ（サムシンググレート）が「体験」自体になりますね。だから、それはプルシャの自由意志なんだけれども、我々分かれたと思っている御霊（みたま）から見ると、自分のところに降って湧くものだから、自分が選んだように見えるけど、結局はサムシンググレートが降って湧かせたのと同じことだ、と。

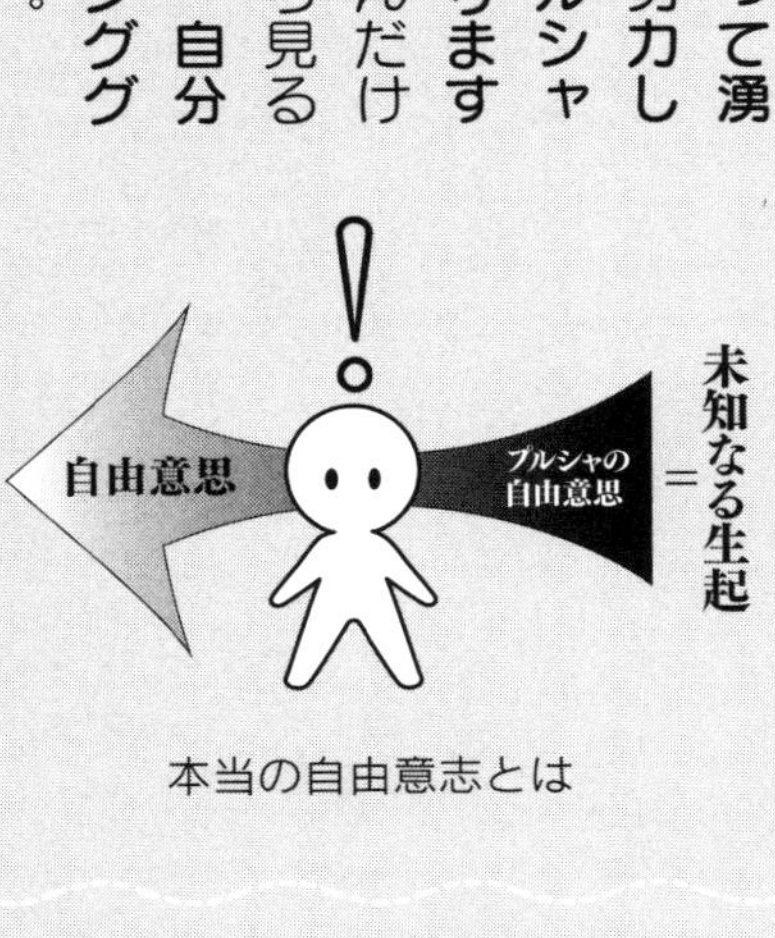

結論から言うと、自分が努力してどうのこうのでなくて、周波数というのは、常に提供される、だから明け渡してしまっていても、全部人生は展開していく、エキサイティングに！ということではないかと思うんですよ。どうでしょうか？

未知なる生起
＝
プルシャの自由意思
自由意思

本当の自由意志とは

光

はい！その通りです。究極的には、その通りです。

そしてもし、あなたが不愉快であるような職場にいるのでしたら、そこではないところを宇宙が指し示しているかもしれません。
またはその環境の中で、違う高次元の磁場を生きる、というのを試したいのかもしれません。色々な可能性を、その状況の中であなたが意味づけをしています。

今日は、本当に素晴らしく、いろいろなアイデアや色々な時系列のことが出ました。私たちからも、非常にお礼を言います。私たちも、あなたから学んでいます。

あなた方が思っている以上に、地球は良い方向に向かっていることをお伝えします。今、できることを楽しんでください。あなた方が、私たちに協力してくれています。あなた方が、勇気を出して、どうぞ自分がやりたいことをやらせてあげてください。それによって調和が生まれます。たくさんの宇宙タイミングで、あなたのやるべきことが、その瞬間瞬間に分かるようになっています。どうぞ恐れないで、今までの概念を壊すことにエキサイトしてください！

吉田　美しい情報に、心から感謝いたします！

フィナーレ

完全自由の人生、宇宙世！

人生を変えられる人。劇的に変わる人。シンクロニシティー（共時性）。セレンデュピティー（幸運な偶然が連続して幸せになってゆくこと）を生きる人。その特徴は？

「**ありのままで完璧**」の人。＝**大和魂**の人。**情熱のみで生きる人。選択不要**なほど**宇宙（プルシャ）の選択を受け入れる人**。「**受容**」の人。「**私**」にこだわらず、**情熱の波乗りサーフィン**を楽しむ人。**自分＝波そのもの**の人。

努力してなるんでしょうか？ そんな人に。いいえ！ それは「**周波数**」**で起きます**。そんな「**周波数**」**になれば**いい！「**周波数**」**は音。音はダイレクト**！だって**エネルギーだから。**

何よりも速い（早い）。

「音」をおもちゃ（味方）にして「周波数」を変えるのです。やがて「ありのままで完璧」の中。大宇宙プルシャが送ってくる毎瞬の体験（周波数）を、完全に楽しめるようになるでしょう！その時あなたは純粋な「周波数」になっているのです！

一瞬前の、あなたでは無くなった「周波数」に、関係なく。まったく新鮮な「別宇宙」を体験（↓周波数）できるのです！永遠に・・・

吉田統合研究所

吉田 一敏

【あなた】

あなたは誰？ 大いなるすべてのすべてであるプルシャ。それ以外の何者でもありません。未知なる生起である、プルシャの自由意志を、１００％楽しんで体験するために、地球に今、キグルミをまとって生きています。全瞬間が、すべて絶対であり、最高の喜びであることを知り、絶対安心と完全自由の中、神秘の連続の中で、情熱の波乗りを保証された、永遠の命です。

《主な参考文献》

『人生を心から楽しむ　罪悪感からの解放』（ラメッシ・S・バルセカール（著）髙木悠鼓 訳　マホロバアート）
『アイ・アム・ザット　私は在る　ニサルガダッタ・マハラジとの対話』（モーリス・フリードマン（英訳）スダカール・S・ディクシット（編集）福間巖 訳　ナチュラルスピリット）
『サーンキャとヨーガ』（真下尊吉 東方出版）
『ダークマターと恐竜絶滅　新理論で宇宙の謎に迫る』（リサ・ランドール　向山信治 監訳 塩原通緒 訳　NHK出版）
『バイブレーショナル・メディスン いのちを癒す〈エネルギー医学〉の全体像』（リチャード・ガーバー　上野圭一 監訳　真鍋太史郎 訳　日本教文社）
『不滅の意識　ラマナ・マハルシとの会話』ポール・ブラントン、ムナガラ・ヴェンカタラミア（記録）柳田侃 訳　ナチュラルスピリット）
『カタカムナ　数霊の超叡知　数の波動を知れば、真理がわかる・人生が変わる！』（吉野信子　徳間書店）
『意識に先立って　ニサルガダッタ・マハラジとの対話』ジーン・ダン（編集）髙木悠鼓 訳　ナチュラルスピリット）
『フラワー・オブ・ライフ（第一巻）』（ドランヴァロ・メルキゼデク 脇坂りん 訳 ナチュラルスピリット）

『ニュー・メタフィジックス』（ダリル・アンカ（チャネル）関野直行訳　ヴォイス）
『アシュターヴァクラ・ギーター　真我の輝き』（トーマス・バイロン（英訳）福間巌 訳　ナチュラルスピリット）
『ラムサ　ホワイトブック』ラムサ 松野健一、後藤雄三訳　有限会社ホームポジション）
『遺伝子と宇宙子』村上和雄　西園寺雅美　致知出版社）
『宇宙の始まりと終わりはなぜ同じなのか』（ロジャー・ペンローズ　竹内薫訳　新潮社）
『アーユルヴェーダ　日常と季節の過ごし方』（V・B・アタヴァレー　稲村晃江訳　平河出版社）
『ウォーター・サウンド・イメージ　生命、物質、意識までも―宇宙万物を象る〈クリエイティブ・ミュージック〉のすべて』アレクサンダー・ラウターヴァッサー　増川いづみ　監訳解説　ヒカルランド）
『エレガント・エンパワーメント　ＥＭＦバランシング・テクニックで宇宙とつながる』（ペギー・フェニックス・ドゥブロ&デヴィッド・P・ラピエール　山形聖訳　ナチュラルスピリット）
『インド伝承医学　チャラカ本集　総論』（日本アーユルヴェーダ学会 訳　せせらぎ出版）
『世界に広がる「波動医学」近未来医療の最前線』（船瀬俊介　共栄書房）
『THE QUANTUM WORLD　The disturbing theory at the heart of reality』（New Scientist）
『電子負荷療法の理論　細胞改善療法序説』（広藤道男、丹羽正幸、松本英聖、鍵谷勤、藤巻時寛　学芸社）
『【超=室】理論　生命の超オーケストレーション』（森下敬一　増川いづみ　永伊智一　ヒカルランド）

プロフィール

著者　**吉田 一敏**　Kazutoshi Yoshida

【吉田統合研究所】所長。各国メディア（スリランカ、ウクライナ、NHK 等）から５０回以上の取材。チェルノブイリ支援で、ウクライナ共和国内務大臣やキエフ市長から勲章を授与。スリランカ農薬被災地コデアベッタウェーワに医療機器と水浄化装置を提供。無燃料プラズマ廃棄物リサイクル機、縄文神聖水、ヒーリングウェーブのブランド開発者。「アーユルヴェーダ市民大学」主宰。世界 48 か国で平和活動。主催の、各国の平和セレモニーには延べ 35,000 人が参加。

ゲストチャネラー　**Infiny**　Hiroko Infiny

人生途中で他の星の魂が入ってきたウォークイン。エレメンタル（妖精など）とのハイブリッドの可能性も。高次宇宙存在のチャネラーとして超一流。宇宙からダウンロードされた名曲のシンガーソングライターでもある。エネルギーによる即興スキャットも自在で、定評がある。

ゲストユーザー　**野口 裕子**　Hiroko Noguchi

エニアグラムのエキスパート。繊細過ぎる憑依体質。毎月、整体８回、鍼灸８回、フラワーエッセンス、サプリを摂っていた。いち早く多くの実験をおこない、「遠隔」など音響テクノロジーの使用法を多数開発。後進に、多大な希望と英知を提供している。現在は、ヒーリングウェーブ以外の、化粧を含めた一切をやめ、心配不安の一切も無いという。

ヒーリングウェーブを体験したい方は【吉田統合研究所】までご連絡ください。

住所：東京都目黒区八雲 2-25-7　〒152-0023
HP: www.yoshida-togo.jp/
Tel : 03-6450-9989
mail : peacestars-san@kind.ocn.ne.jp

アセンド・ラピスでもスピリチュアルなヒーリングウェーブ体験の機会を提供しています。詳しくは、アセンド・ラピスのホームページをご覧ください。

HP : https://ascendlapis.com
mail : info@ascendlapis.com

銀河連合から日本へ　すべてを元にもどすヒーリングウェーブ

2020年　4月27日　初版発行
2021年12月16日　第六刷発行

著者　吉田一敏
©Kazutoshi Yoshida

発行者　高橋敬介
発行所　アセンド・ラピス
東京都台東区上野2-12-18 池之端ヒロハイツ2F　〒110-0005
Tel　03-4405-8118　http://ascendlapis.com

プロデュース　合屋俊宏
編集協力　吉田晶子　リディア・コルジューク
アヌルッダ・セネビラットネ
吉田光恵　JOSTAR　イチベイ　佐藤綾子
ギャラクティックユニオン　吉田米子
表紙　猪巻和之（COSIRAEL）
装丁・本文DTP　小黒タカオ
印刷・製本　株式会社シナノパブリッシングプレス

ISBN 978-4-909489-03-6　C0010　Printed in Japan